さらば東大

越境する知識人の半世

吉見俊哉
Yoshimi Shunya

a pilot of wisdom

目次

前口上　吉見俊哉とは誰か

吉見ゼミ　門下生有志

吉見俊哉とは誰か。たとえば、この本の著者略歴には、次のように記されている。

一九五七年東京生まれ。東京大学名誉教授、國學院大学観光まちづくり学部教授。東京大学大学院情報学環長、同大学副学長などを歴任。社会学、都市論、メディア論、文化研究を主な専門としつつ、日本におけるカルチュラル・スタディーズの発展で中心的な役割を果たす。著書に『都市のドラマトゥルギー』『東京裏返し』『敗者としての東京』など。

これはもちろん、間違いではない。しかし略された部分に、いろいろある。そのため冒頭の問いに対する答えとしては、不十分かもしれない。

まず、吉見俊哉が論じてきたのは社会、都市、メディア、文化にとどまらず、アメリカ、戦後日本、博覧会、テーマパーク、オリンピック、アーカイブ、そして大学など、さまざまなテーマにわたる。

次に、その著書は第一作の『都市のドラマトゥルギー』から三〇年あまりで三〇冊以上を数え、近ごろは年に数冊のペースで発表し続けている。さらに共著や編著をあわせれば一〇〇冊を超える学術書や一般書を公刊し、その多くが韓国語や中国語や英語などに翻訳されている。日本をはじめ東アジアの大型書店では、「吉見俊哉」の棚を見かけることもある。

そして、東大では副学長をはじめ情報学環長や東京大学出版会理事長などを歴任し、学外では日本メディア学会など複数の学会で会長に選出され、ハーバード大学（アメリカ）客員教授、エル・コレヒオ・デ・メヒコ（メキシコ）客員教授、社会科学高等研究院（フランス）客員研究員などを経験し、文部科学省や文化庁や日本ユネスコ委員会などで多数の公職を兼務してきた。さらには「インターアジア・カルチュラル・スタディーズ（Inter-Asia Cultural Studies）」など国際ネットワークの創設や国際学術誌の編集委員なども担い、これらの他にも国内外で数々のプロジェクトや組織を主導してきた。

そうして関係者や門下生だけでなく、おそらく本人も、そのすべてを覚えていないほど、吉見俊哉は数多くのテーマを論じ、膨大な論考を多言語で発表し、さまざまな役割を日本も含めた世界の各地で演じてきた。

これほど多くの「吉見俊哉」たちを、なぜ吉見俊哉は、演じ上げてきたのだろうか――いったい、吉見俊哉とは誰か。

その答えを、吉見俊哉という個人の動機に求めても、あまり意味はないだろう。むしろ、あまたの「吉見俊哉」たちを社会的な出来事として捉えれば、ここで問うべきは時代に受け入れられ、ときに必要とされる数々の役を上演してきた、吉見俊哉の「まなざし」である。それを理解することができれば、今の日本社会の本質が、そして私たちの時代の本性が、もっと鮮やかに見えてくるだろう。なぜなら「吉見俊哉」という役とその上演は、吉見俊哉という一人の人物による独創とは考えられないからである。

「吉見俊哉」が社会的な出来事であり、時代が求めた役の名であるならば、その役が演じるドラマは、たとえば吉見俊哉の師である見田《みた》宗介《むねすけ》をはじめとする、さまざまな同時代の人たちとの出会いや関係のなかで形をなしてきたはずであり、そしてある特定の「場」でこそ可能になったはずである。それは現代日本という「場」であり、その研究と教育の中枢に立つ、東大という「場」である。

そうであるならば、現代日本という「場」は、そして東大という「場」は、吉見俊哉に対してどのようなドラマを可能にし、また不可能にしてきたのだろうか。それに対して吉見俊哉はどのように応じ、また抗《あらが》い、折々のドラマを演じ上げていったのだろうか。そうして「吉見俊哉」のドラマトゥルギーは、いかに編み成されていったのだろうか。

二〇二三年三月、吉見俊哉は東大を去った。およそ半世紀にわたってさまざまな「吉見俊哉」を上演し、いよいよ定年を迎えてその「場」を退くとき、吉見俊哉はどのような「吉見俊哉」を演じ上げたのだろうか。そして東大は、その中央に位置する安田講堂は、その最終講義に対して、いかなるドラマを求めたのだろうか。

本書は、吉見俊哉が東大という舞台を離れるにあたり、その「まなざし」を明らかにすることを試みる。前半は、吉見俊哉とその門下生が主要テーマ（都市、メディア、文化、アメリカ、大学）をめぐる「特別ゼミ」をおこない、「まなざし」の核心を把握することを目指した五つの章と、その前段となる序章を収めた。後半は、二〇二三年三月一九日に東大・安田講堂でおこなわれた吉見俊哉の最終講義「東大紛争　１９６８―６９」を採録した。これが、東大という舞台に立つ「吉見俊哉」の千秋楽である。

　そうしてさまざまな「吉見俊哉」たちを上演してきた吉見俊哉の「まなざし」を立体的に描き出し、そのドラマトゥルギーの成り立ちを明らかにすることで、現代日本という舞台を、そして私たちの時代を生み成すドラマを、より深く理解することに本書は挑む。

　吉見俊哉とは誰か。この問いに答えることは、ここではまだできない。ただし若き日の吉見俊哉を見守った見田宗介は、その初演へ寄せた「緒言」で、次のように記している。少し長くなるが、その引用から、本書の上演を始めたい。


　学生時代の吉見俊哉は、骨格の大きい、しかも幾度もじぶんじしんをのりこえて変身をとげる理論の体系をつぎつぎと展開してみせる一方、シカゴ学派をはじめとする伝統的な社会学の都市理論を辛抱強く勉強し、同時に他方では、如月《きさらぎ》小春《こはる》と組んで劇団綺畸《きき》を演出し、横浜ボートシアターの演出助手をつとめ、また生産技術研究所の原広司《はらひろし》のところで研究生として建築を学び、都市ホールの設計に関与したりしてきた。こういう吉見をわたしたちは、ホームランも打つが大ファウルも打つかもしれないルーキーの打席を見守るチーム・メイトのような気持で、みてきたと思う。今ここにこの一冊の仕事の中で、吉見の理論的な構想力は、演劇と建築という、ふたつのマテリアルな領野の仕事を、じぶんに必然的なものとして、コントロールのよくきいた打球のように、内化している。

（見田宗介「緒言」、吉見俊哉『都市のドラマトゥルギー――東京・盛り場の社会史』弘文堂、一九八七年）

凡例

一、本書の序章から第五章は、吉見ゼミの出身者（門下生）有志が吉見俊哉を招き、二〇二一年一二月、二二年三月（二回）、同年八月（三回）、二三年三月の計七回、上智大学および集英社でおこなった「特別ゼミ」の記録である。

一、「特別ゼミ」では、吉見俊哉の著作を出席者があらかじめ読み、その論への批判を著者本人に投げかけ、クリティカルに議論することで問いの核心を把握するという、東京大学大学院の授業で実践された「吉見俊哉を叩《たた》きのめせ（通称アタック吉見）」の方法を採った。

一、「特別ゼミ」での門下生の発言は複数名によるが、「――」で統一した。対面およびオンラインで参加したのは、瓜生吉則《うりゅうよしみつ》、金成玟《キムソンミン》、柴野京子、周東美材《よしき》、難波功士、新倉貴仁、野上元、河炅珍《ハキョンジン》、山口誠である。

一、本書の「前口上」と各章冒頭の「著作ガイド」は、右記の門下生有志が記した。

一、本書の終章は、二〇二三年三月一九日に東京大学・安田講堂でおこなわれた吉見俊哉の最終講義をもとに、本人が加筆修正した記録である。

一、本書の「謝辞」、註はすべて吉見俊哉によるものである。

序章　演劇から都市へ——虚構としての社会

演劇との出会い

――この本の導入として、学者・吉見俊哉がいかにでき上がっていったのかについて、まずはお聞きしたいのですが、吉見俊哉といえば第一作『都市のドラマトゥルギー』から現在まで、ドラマトゥルギー、スペクタクル、上演、演出、まなざしなど、演劇に関係する言葉を多く使われてきた印象があります。本書の終章に収めた先生の最終講義も、約一か月間のアーカイブ視聴期間に一五万回あまり再生され、ネットには「演劇的なラストだった」などの感想が見られました。先生にとって演劇とは、どのようなものなのでしょうか？

吉見　私にとって演劇とは、ですか？　何からお話ししたらよいのでしょう？　話すべきことが多すぎて途方にくれますね。社会学者としての私にとって演劇とは、それがすべてというか根本で、他に何か立脚点があるわけではないとお答えしておくのでいかがでしょう。

――先生のライフヒストリーは他書でも読めますが、ここではずばり「なぜ吉見俊哉の研究には演劇が大きな役割を果たしているのか」をお聞きしたいです。先生と演劇の出会いや、演劇の視点から社会を問う研究の原点は、どこにあるのでしょうか？

吉見　そういうことなら、中学生の一時期、演劇部に入っていたこともありましたが、そこから思い起こすことはあまりなくて。演劇との出会いは、やはり大学に入ってからですね。

――東大に入学した後、すぐに演劇に熱中したのですか？

吉見　いいえ、一年生のころは七月から一〇月ぐらいまでヨーロッパや北アフリカを一人旅していました。私が大学に入学したのは一九七六年ですが、キャンパスに林立する立て看板を除けば、大学紛争の残り火はほぼ消えていました。むしろ、「政治から文化へ」という流れがあり、若者たちの関心は演劇や音楽、映画に向かっていたと思います。

このころから渋谷がひときわ大きな存在になっていき、セゾンやパルコ、公園通りに代表される、コマーシャライズされた都市文化が花開きます。いわば〈渋谷的なるもの〉が東京中へ、そして全国へ広まっていくわけです。他方、都市がどんどん薄っぺらになっていくというか、記号化、虚構化していく感覚もありました。虚構化を拒絶し、アングラで頑張り続ける人もいましたが、若者たちの多くはいろいろ反発しながらも、そこから逃れる方法がわからないまま、むしろ虚構に引き込まれていたように思います。

私自身もそんな若者の一人でした。高校生時代は、とても自由な高校でしたので、授業をサボリ、悪友たちと新宿や原宿のロック喫茶にたむろしたり、夜遅くまで遊び歩いたり、大学に入ってからは一人旅で放浪したりしていましたが、それは東京郊外の中産階級の家庭に生まれ育ち、とても自由だったと今言ったその教育大附属高校（現・筑波大附属高校）から東大に行くという、自分の優等生的平凡さに対する反発もあったのだと思います。それでも消費文化にまみれた自分には、反体制で闘うセンスはありませんでした。むしろ虚構のなかで生きる方が心地いいという感覚もあって、大学入学後もなんともアンビバレントなままでした。

――そんなときに「劇団綺畸」と出会い、演劇にのめり込んでいったのですか？

吉見　いいえ、そうでもないのです。劇団綺畸と出会ったのは、大学二年生になってからのことでした。きっかけは他愛ないことで、高校時代から一緒だった遊び仲間と東大の駒場キャンパスを歩いていたら、劇団綺畸の女の子たちが勧誘に来ていて、まんまと捕まって、ついつい稽古場に行ったという、きわめて不純な動機です。

――劇団綺畸は東京女子大学と東京大学の学生たちの演劇サークルですが、その稽古場がある東京女子大へ行ったら、如月小春さんがいらした？

吉見　そうです。びっくりしたのは、演劇の稽古って、まず脚本を読んで解釈し、台詞《せりふ》を覚え、それをどう声にしていくかを練習のなかで作り上げるものかと思っていたら、根本的に違っていたのですね。劇団綺畸の稽古では、走り込んだり、筋トレしたり、運動部顔負けの激しいトレーニングで身体《からだ》を鍛えることをまずする。それが終わったら、バラック建ての薄汚い稽古場で、山のようなカセットテープから如月さんが選んだ音楽をラジカセで入れ替えながら、団員たちがそれぞれ身体を動かしていく。台本も解釈も台詞も、そんなのへったくれもない。まずは、超ハードな出会いのエチュードです。

稽古場では、如月さんがプラスチックのバットを手に持ち、「ストップモーション！」「スローモーション！」「転換！」「集中！」などと叫び、そのバットで床を思いっきりバンッとたたく。するとその場の空気がぱっと変わり、団員たちが思い思いに動き出す。

たとえば如月さんが「出会い！」と叫びます。基本的な状況設定だけを与えられた団員たちは、アドリブで役を演じながら、どんどん話を展開させていく。物語が先にあるのではなく、場がまずあり、そこで他ならぬ自分の身体を介して目の前の他者と出会い、具体的にせめぎ合うなかで、役が生まれている。そうして台本でも台詞でもなく、場と身体に根差した上演こそがドラマを作る。それが劇団綺畸のエチュードでした。

稽古場の緊張感とボルテージ、そして巫女《みこ》的なところが多分にあった如月さんの集中度はすさまじいもので、心を揺さぶられました。その日から数年、私は大学生活の大きな時間を劇団綺畸の稽古場と、東大駒場寮の裏にあった駒場小劇場で過ごします。

とくに稽古場では、自分と同じ虚構のなかで生きている同時代の若者たちが声を上げ、身体を衝突させ、そこから新たな世界が生まれようとしている、と感じました。どんどん虚構化されていく世界を突破したくても、どうすればそれが可能なのかもやもやしていたとき、そのことを私よりもはるかに先鋭に抱えて、演劇という場、身体が出会う瞬間において向き合っていたのが、如月さんでした。とにかく、彼女は早かった。その彼女の先鋭な感覚の影響は、たとえばポストコロニアル文学の西成彦《まさひこ》さんや映画史の四方田《よもた》犬彦さん、音楽史の細川周平さん、あるいはコンピュータアートの土佐尚子《なおこ》さんなど多方面に及んでいます。如月さんは、坂本龍一さんとも交流がありましたね。多くが文学や映画、音楽、アートなのですが、私は彼女に影響を受けた最も社会学寄りの人間です。

――いわゆる演劇のイメージとは、かなり違いますね。また大学の劇団というと文学青年、またはコンテンツに熱中する人が多いような印象がありますが、それとも違います。

吉見　私が影響を受けたのは、新劇でもミュージカルでもありません。文学や詩でもなかった。もっとずっと身体そのものに近く、都市やパフォーマンスにも近い何かに触発されたのです。ですから、私にとっての「演劇」の概念は、文学としての戯曲がまずあるのではありません。あくまで、ある状況で起こる身体と身体の衝突、出会いがあり、そこからどうやってドラマが立ち上がるのか、立ち上がらないのか、出来事は起こるのか、起こらないのかということが問われる、いわば事件としての演劇でした。

しかし、これは如月さんに限らず、その前の世代の唐《から》十郎さんの「紅《あか》テント」、寺山修司さんの「天井桟敷」、佐藤信《まこと》さんの「黒テント」などもみんなそうだったと思います。つまり、文学としての演劇から事件としての演劇への転換は、六〇年代以降の演劇の共通パラダイムでした。私は今でも、基本的にはこの演劇概念を支持しています。

ですから、ある状況のなかで人々は、相互に媒介し合う身体を通じて他者を発見し、同時に自己も発見するのですが、ドラマが展開していくにつれ、それらの関係性がすべて内側からどんどん崩されていくことになる。その生成や転換がうまくいくと、それは文字通り演劇的なことになって、観客たちも一気に引き込まれる。ただ、実際にそういう事件が生起することは滅多になく、凡庸な展開に終始することがほとんどですけれども。

――如月さんは先生と同じく東京生まれで、東京育ちで、年齢もほぼ同じぐらいですよね。一九八〇年代に巻き起こった「小劇場ブーム」の前夜にあたる、一九七〇年代後半の東京で、そんな若者たちのドラマがあったとは知りませんでした。

吉見 如月さんが二歳くらい上だと思う。しかし、成熟度はもっと違う気がしましたね。四歳か五歳、違う感覚があった。その彼女が大学を卒業して、演劇を続けるかどうか、ぎりぎりのところで書いたのが『ロミオとフリージアのある食卓』でした。玉ねぎの皮をはがすように、「これはお芝居です」「これも実はお芝居でした」と次々に明かされ、最後に「今までのは全部嘘《うそ》でした」となる仕立ては、当時の如月さんのテーマ、つまり自らの生の根拠のなさや内なる空白を逆さに表現していました。私はこの劇の再演で共同演出をしたのですが、ここで考えようとしていたのは、どんどん記号化されていく現代社会において、われわれ自身も記号であり、記号が都市で踊ったり、歩いたり、買い物したりしている、そういう記号化する消費社会を内破していく方法としての演劇だったように思います。

そこが前世代との大きな違いで、たとえば寺山さんや唐さんのアングラ演劇は、都市に屹立《きつりつ》する身体を信じていたところがあります。でも、その後の私たちは、虚構化する都市にどんどんまみれていく。すると自分のなかの肉体をあまり信じられなくなる。

如月さんが書いた文章に「〈東京〉が自分の内部なのか外部なのかわからなくなってしまうようなハイスピードな変化のめくるめく感覚の中で、身体とは〈個〉を囲う暫定的な袋でしかなかった」という一節があります。[*1] それでも身体がないわけじゃないから、信じられない身体を抱えながら生きている私がいかに演劇をやりうるか、という問いが現れる。この問いに正面から向き合った『ロミオとフリージアのある食卓』が出世作となり、如月さんは時代の寵児《ちょうじ》になっていくのですが、もちろん演劇は、それぞれの時代状況を、シェイクスピアの時代からずっと最も先鋭な仕方で考えてきたという気もします。

つまり演劇は、現実の世界の外に想像される、単なる虚構の物語を楽しむものではありません。ギリシャ悲劇も、シェイクスピアも、ベケットも、アルトーも、多くの演劇人たちにとって劇的世界こそが存在することのすべてであり、彼らはそこに虚構以上のもの、現実以上のものを浮上させる方法論を編み出してきました。シェイクスピアが『お気に召すまま』で、「この世は舞台、人はみな役者（All the world's a stage, And all the men and women merely players.）」と言ったのは、本当にその通りですね。社会学は本来、まずこのシェイクスピアの警句から出発して社会について考えていくべきなのだと思います。実体としての個人、実体としての社会から始まる社会学は、どちらも退屈です。私はそうした実体的な社会以前に、まず演劇的な虚構性があるのだと思っています。

見田社会学と演劇的想像力

――大学三年生のときに理系から文系へ転じた先生は、東大教養学部教養学科相関社会科学一期生として、見田宗介先生のゼミに入られます。でも東大で社会学をやるなら、駒場に新設された専攻ではなく、本郷の文学部社会学科など、他にも選択肢があったと思いますが。

吉見　そもそもの話として、私は社会学者になりたくて見田先生のところに行ったのでは全然ありません。本をもっと読みたくて文転しようと決意し、見田先生の本を読み、自分が演劇を通して考えたいことは見田先生のところに行けば何か学べるのではないかと思いました。私の直観では、見田社会学のどこかに、今、申し上げたシェイクスピア的な世界像に通じるものがある。もちろんこれは、最近になってよりはっきりしてきた考えで、当時はそこまで考えてはいません。でも、自分は演劇のなかから問いを形成していて、同時に見田先生に親近感を抱いていた。ですから、最初に社会学があったわけではなく、見田先生は社会学者だから自分も社会学でいいのではないか、そんな順番だったのです。

それで、見田先生に手紙を送りました。内容はよく覚えていませんが、演劇的な世界の成り立ちと現代世界の成り立ちをつないで考えるものだったように思います。どうせ返信は来ないだろうと思っていたら、「面白かった」というハガキが来たのです。「天下の見田宗介が、単なる一学部生のためにハガキを書いてくれた」と、感動しました。

演劇と社会をつなぐ可能性についての私の話を「面白い」と見田先生がおっしゃってくださったのは、ご自身もいくばくかそうした演劇的地平の可能性を考えていらしたということかもしれません。たとえば、一九六〇年代末に東京で起きた永山則夫による連続射殺事件を都市の「まなざし」という視角から考えた「まなざしの地獄」は非常に演劇的な分析です。*2

そして、本書の終章に収録される私の最終講義で少し触れましたが、見田先生のもうひとつの名前である「真木悠介《ゆうすけ》」は、佐藤健二さんが明らかにしたように、いわゆるペンネームではまったくなくて、東大闘争に直面した見田先生が糾弾する学生たちへの応答可能性の主体として立ち上げたものでした。*3これはある意味で、見田社会学の演劇論的な次元を開示していると私は受け止めています。つまり、この名前の二重化では、見田宗介が「真木悠介」を演じているのではなく、真木悠介が「見田宗介」を演じているのです。つまり真木悠介は、見田先生が「見田宗介」を演じることを可能にする虚の主体であり、そのような劇的な主体性において応答可能性を奪還していく仕掛けだったとも読めるのです。

――見田先生が『現代社会の存立構造』（筑摩書房）を公刊され、また真木悠介のお名前で『気流の鳴る音』（筑摩書房）を発表されたのが一九七七年で、ちょうどそのころのことですね。

吉見　『現代社会の存立構造』も真木悠介ですね。それに、一九七一年に出された『人間解放の理論のために』（筑摩書房）も、一九八一年の『時間の比較社会学』（岩波書店）も著者は真木悠介です。つまり、これらの一九七〇年代に書かれたものには連続性があります。この時期、見田先生は重要な著作を次々に発表されていて、見田ゼミは圧倒的な人気がありました。ゼミにはとても多様な人たちが集まっていて、他のゼミとはひと味違う磁場を作っていたと思います。見田ゼミ出身者には、大学教員になった人も少なくないですが、分野はいろいろで、さらに大学外の諸世界に進んだ人が多くいます。アプローチやフィールドが違っても、ゼミ生はみな、見田先生の「問い」をそれぞれの仕事で受け止め続けていています。

昨年（二〇二二年）、先生がご逝去された後、福岡安則さんや内田隆三さん、大澤真幸《まさち》さん、佐藤健二さん、酒井啓子《けいこ》さんたちと偲《しの》ぶ会と継承シンポジウムをしようということになって、いろいろな旧見田ゼミのネットワークを再構築したのですが、その過程を通じてもこのことが再確認されました。さらに、本書の終章で示すように、そうした見田ゼミ自体も、東大闘争に対するレスポンスとして、見田先生が意識的に誕生させたものだったこともわかってきました。私たち自身が、歴史の演劇的な産物なのです。

――ここは冒頭の質問にかかわる重要なところなので、なぜ演劇が先生の研究にとって大きな意味をもつのか、そして演劇と社会が取り結ぶ関係とは何か、もう少しお聞かせいただけますか。

吉見　先ほど述べた虚構化され記号化された世界を内側からどう突破していくかということが、まさにその関係にかかわります。近代の逆説は、死者を消し、過去を消し、歴史を消してきたことで、私たちの想像力が微分化した未来にしか向かわなくなってしまったことです。だから、虚構化がとても虚《むな》しいものに感じられる。この虚しさを突破するには、実はそこにいるはずの死者たちとの回路をつなぎ直していかなければならないのだと思います。二〇世紀の演劇は、最初からこの回路の奪還にとても自覚的でした。たとえば、アントナン・アルトーの著作に『演劇とその分身』（河出文庫、二〇一九年）という本がありますね。彼はそこで一貫して死者のことを語っています。演劇とは本質的に死者が演じるものだからです。つまり演劇の根本は、生きている人間と死んでいる人間の往還にあるのです。考えてみれば、日本の能や歌舞伎はそもそも死者を呼び戻す儀礼ですし、ギリシャ悲劇もシェイクスピアの悲劇もそうです。そういうドラマトゥルギーは演劇的なるものに一貫してあったわけで、演劇は根本的には死者たちとの対話の方法論なのです。

演劇から都市論へ

――先生のメディアの研究にもつながりそうな論点で、もっとお聞きしたいのですが、詳しくは後の章でお聞きするとして、ここでの話に戻ります。先生は学部を卒業して大学院へ進まれた後も、劇団での活動を続けていたのですか。

吉見　私は一九八一年に再演された『ロミオとフリージアのある食卓』を最後に劇団綺畸を離れますが、しばらくは演劇に未練があったのですね。やはり恩師の栗原彬《くりはらあきら》先生が「横浜ボートシアター」の演出家の遠藤啄郎《たくお》さんと関係が深かったので、それが縁で私もその後、横浜ボートシアターに加わり、遠藤さんの助手を数年続けました。[*4] 横浜の運河に浮かぶダルマ船の内部が劇場で、ゆらゆらと川の流れに揺られながらドラマが進行する、とても魅力的な劇空間でした。そこでやっていたのは、『小栗判官《おぐりはんがん》・照手姫《てるてひめ》』や『マハーバーラタ』のような古代、中世の叙事詩を仮面劇でする演劇です。文字通り、死者が再生する、あるいは無数の死が現在化する話です。遠藤さんとも私はずいぶんいろいろな話をしたのですが、そのうち私の第一作となる『都市のドラマトゥルギー』の出版が決まり、演劇から遠ざかっていきました。結局、演劇は私の人生を狂わせそうになりながら、狂わせなかったということかもしれません。

――そのままいっていたら、学者・吉見俊哉も、吉見ゼミも、存在しなかったのでしょうか。でも、演劇人として活躍されていたかもしれない。

吉見　いえ、それはないでしょう。私はへぼ役者だし、演出家としても如月さんにはかなわない。演劇人として失格なのです。それでも、劇団綺畸のあの稽古場で受け取った影響、そして如月さんの投げかけた問いを、私は私なりのやり方で現在にいたるまで考え続けています。「演劇が虚構としての世界を劈《ひら》くはずだ」「演劇は死者に媒介されるはずだ」といった自分の問題意識を、演劇以外の方法で考えていくとしたらどうすればいいのか。もし私に才能があれば、建築家になって、建築という方法でこの問いを考えていたかもしれません。あるいは、小説家として小説という方法を採っていたかもしれません。同じように、私にとって学者であるということは、自分の問いを考えていくうえでのひとつの方法的限定なのです。そしてそのとき、自分の問いを深める準拠枠として最も適していたのが、広い意味での社会学であり、ドラマトゥルギー的都市論だったわけです。

――演劇から都市へと、先生の問いがつながっていく流れが見えてきました。ただ、少し先走りすると、先生の都市論は東京論であり、東京しか語っていないですよね。

吉見　「東京しか」語っていないのではなく、「東京から」しか語れていないのかもしれない。しかし、私はそれによって、つまり「東京から」語ることで、東京以外の都市も語れているはずだと思っています。もちろん、私の原点は東京にあります。社会学は、自分が生きている実践的な経験の場からしか立ち上がりません。もっと言えば、あらゆる研究者は自分の人生から離れられないし、自分のいる場所というものがあるのです。そこから離れて抽象的で一般的な位置から全世界を説明するというのは私はやれませんし、やりません。

――では、演劇と都市と東京をテーマとした第一作『都市のドラマトゥルギー』で先生が何を試みられたのか、次の章でお聞きしたいと思います。

第一章　都市をめぐるドラマ・政治・権力

第一章　都市をめぐるドラマ・政治・権力

『都市のドラマトゥルギー──東京・盛り場の社会史』

弘文堂、一九八七年
（文庫版：河出文庫、二〇〇八年）

都市は、建物や人が密集する土地でもなければ、気ままに読み解くテクストでもない。それは人と人、そして人間と非人間が相互にかかわり合い、ときにせめぎ合い、演じ上げていく〈出来事〉であり、常に未完成で可変的なドラマである。こうした上演論のまなざしから、近代の東京における四つの盛り場に注目した吉見俊哉は、戦前の〈浅草的なるもの〉から〈銀座的なるもの〉へ、また戦後の〈新宿的なるもの〉から〈渋谷的なるもの〉へと、それぞれのドラマが変移していくふたつの過程を分析することで、近代の都市を生み成すドラマトゥルギーを描き出そうとした。このとき吉見が照準したのは、都市の「盛り場」のうち、人々の「盛り（ドラマ）」の上演だけでなく、そうした個々の演じ上げを組織し、またそれらによって組織される「場（舞台）」の政治学であり、ドラマと舞台の相互作用を分析することで両者の中間に見えてくる、都市という出来事のドラマトゥルギーだった。このとき都市は近代そのものと考えられ、都市という出来事を問う試みは、近代社会を批判的かつ文脈的に考察する方法となる。本書は吉見俊哉の第一著作であり、ここから吉見が問い続けていく、都市に照準した近代批判の上演論の原点が記された、記念碑的な一冊である。

『五輪と戦後——上演としての東京オリンピック』

河出書房新社、二〇二〇年

オリンピックは純粋なスポーツの祭典ではなく、さまざまな人々の欲望が上演される出来事（イベント）であり、ドラマである。かつて『都市のドラマトゥルギー』で展開した上演論のまなざしから、本書は戦後日本における「五輪」というドラマに注目し、それが再び上演された東京そして日本において何が生み出され、また何が消し去られたのかを分析する。聖火リレーの実演や競技者たちの身体など、具体的な事例を分析するミクロなレベルから、「五輪」というドラマの舞台、演出、競技、再演を問うマクロなレベルまで問いを展開し、終章で近代社会のドラマトゥルギーの変化（転位）を考える本書は、「五輪」

を主軸に据えた『都市のドラマトゥルギー』の続編であり、その問いの射程は東京、そして日本を貫通し、終盤では東アジアの都市まで到達している。

『東京裏返し——社会学的街歩きガイド』

集英社新書、二〇二〇年

東京はこれまで徳川軍、明治維新軍、ＧＨＱによって三度「占領」されてきた。だが、いずれの占領者もすべてを一気に作り変えることはできず、今も東京の街にはさまざまな時を生きた多様な人々の——とくに「敗者」たちの記憶が遺《のこ》っている。そうした異なる時間軸や時空意識を「街歩き」することで掘り起こし、また自らの身体で体験する方法を提案する本書は、合理性と効率性が支配する近代社会を相対化する方法としての「社会学的街歩き」を上演してみせる。いわば『都市のドラマトゥルギー』の実践編、または吉見俊哉が探究してきた都市論を読者が実演できるように作られた、ワークショップの手引書のような一冊であり、世界を「裏返し」する導き手（ガイド）となる新たな試みである。

吉見俊哉の研究とは？

――多くの社会学者がひとつかふたつのテーマを探究していくと思うのですが、吉見先生は都市論、メディア論、戦後日本社会論、カルチュラル・スタディーズ、アメリカ論、大学論など、とにかく多種多様なテーマについて研究成果を発表されてきました。このことは、今回の本の章立てにも反映されています。

そうした先生の研究の軌跡は、ご自身の理論や概念を発信してきたというより、さまざまなテーマや分野と出会い、常に越境し続けてきた結果のように見えるのです。あるいは先生が若いころにのめり込んだ演劇になぞらえれば、先生は役者が役を与えられたときと同じように、さまざまな出会いのなかでその時々の「役」に没頭し、その折々に求められるいくつもの「吉見俊哉」を上演してきたかのようにも見えます。

そこで最初にうかがいたいのは、なぜ、先生はさまざまなテーマやアプローチで研究をおこなってきたのか、ということです。それはご自身の人生の軌跡となんらかの関連があるのかということも含めて、お聞きしたいと思います。

吉見　その時々の場面に応じて「吉見俊哉」という「役」を演じることに没頭してきたという

のは、まったくその通りです。ただ、その演じる「役」が置かれている学問的な位置づけが何かというと、多くの人はそれを「社会学」と呼んだり、「カルチュラル・スタディーズ」と呼んだり、ときには「メディア・スタディーズ」とも呼んできたわけですが、演じている私本人はそのような学問分野的な帰属はどうでもいいと思ってきました。言い換えれば、学問分野や理論枠組みが先にあったのではなく、また逆に具体的な研究対象がずっと決まっていたわけでもなく、あえて言えば、厳密に方法論的なレベルにおいて、私は常に「都市をやってきた」というのが自分なりの自己認識です。

——先生の研究は、すべて都市論だった、というんですか。

吉見　はい、そうです。外から見れば、「吉見はいろいろなことに手を出す、気が多い奴《やつ》だ」と思われていたでしょうね。しかし、私の研究の原点は、第一作の『都市のドラマトゥルギー』で挑んだ、都市での人々の振る舞いを演劇として捉える上演論的都市論、つまり「都市はいかに演じられるか」ということに尽きます。

——先生はさまざまなテーマや分野を越境してきた、とわれわれは考えていたのですが、その認識は間違っている、ということでしょうか。

吉見　越境というのは、半分は正しいけれども、半分は違う気がします。どういうことかというと、ある種の楕円構造があると思うのですね。円と違って、楕円にはふたつ中心があって、私にとってのひとつの中心は、先ほど述べた都市と演劇の重なりです。この中心は、過去約四〇年間、変化していません。一方の中心はほぼ不動だったということです。

もうひとつの中心は、外から与えられるものであって、たとえば、『都市のドラマトゥルギー』を書いた後、就職した当時の東大新聞研究所でメディア研究をやらなければならなくなる。もうちょっと後で言えば、大学のアドミニストレーションにかかわるとかいうことですね。このもうひとつの中心点に引っ張られるようにして、メディア研究を都市論としておこなうにはどうすればいいかを考えて、電話や映画館、テレビについて研究したり、大学を都市として考える、あるいはメディアと都市が交錯する場として考える大学論を展開したりと、結果的にいくつかの楕円になっていったのです。

――吉見ゼミで他ならぬメディア研究を学んだ門下生としては、「メディアじゃないんだよね、都市なんだよね」と言われてしまうとショックなのですが……なぜ「都市」なんでしょう。

吉見　まだこの対話は始まったばかりですから、怒らないで聞いてください。これまでメディア研究も含め、さまざまな本を出してきましたが、その多くは相互に結びついており、つなげていけば大きな一冊の本になると、自分では思っています。

その大きな本に副題があるとしたら、それはやはり近代への批判ということになるでしょう。その点は私の師であり、真木悠介の名でも卓越した近代批判を展開された見田宗介先生と共有するところで、その近代、あるいはモダニティは曖昧なものでも実体のない概念でもなく、むしろ私たちの身体へ直接・間接に作用してくる権力的な場、記号的であると同時に物理的でもある場として現れてきたのだと私は思います。ですから、私は大きくは上演の場としての近代を問うてきたのであり、それは「都市」を問うことでもあったのです。

――つまり、最初の著作『都市のドラマトゥルギー』は、いわゆる都市の盛り場の社会史ではなく、近代批判がテーマだったということですか。

吉見　はい、まったくその通りです。私がかつて『都市のドラマトゥルギー』で提示したのは、都市化が一元的な過程ではなく、むしろふたつの直交する局面、つまり農村から都市への人口移動（離村向都）と都市のムラビトから都会人へのアイデンティティ変容というふたつのモメントを内包してきたという仮説です。

あの本を執筆していた当時、都市を分析する手法として、都市社会学の他にも、ひとつにはマルクス主義、もうひとつには記号論ないしはテクスト論があり、さらにはフィールドワークと理論を往還する人類学的アプローチが影響力をもっていました。*1 そして、人類学的な中心―周縁論からすれば、たとえば銀座が都市の中心だとすると、浅草や新宿は都市の周縁であり、静的で保守的になりやすい中心よりも猥雑《わいざつ》で動的な周縁にこそ創造性が生じるとされていたわけです。しかしながら、私としては、都市社会学やマルクス主義、記号論やテクスト論はもとより、中心―周縁モデルや都市＝祝祭論的なモデルで近代の都市化を説明できるのかという疑問があり、もうちょっと身体＝権力論的な視座を導入したわけです。

この仮説を検証する四つの事例が、一九一〇―三〇年代の「浅草」と「銀座」、一九六〇―八〇年代の「新宿」と「渋谷・原宿」でした。私は、戦前と戦後の異なるふたつの三〇年間に、構造的にパラレルな変化を読み込んでいったのです。そして、その構造的な同型性の理由が、先ほど述べた都市化のふたつの次元の直交にあるという説明をしていったわけです。つまり、都市化の歴史を構造的に捉えれば、「浅草」と「新宿」が農村から都市への人口移動の結果を示す同じ位相の上にあり、「銀座」と「渋谷・原宿」が都会人へのアイデンティティ変容の結果を示す同じ位相の上にあるという解釈です。*2

しかし、この説明は完全ではありません。『都市のドラマトゥルギー』では、都市化の第一局面にあった「浅草」や「新宿」のような盛り場からどのように人々が第二局面の「銀座」や「渋谷・原宿」のような盛り場に移動していったのかを説明しましたが、そもそも「浅草」や「新宿」のような盛り場が内包していた都市性とは何なのかについては、いくつかの特徴を列挙したにとどまっています。これらの盛り場が内包する都市性は、近代の内側にある近代の「剰余」です。すなわち、〈近代〉は解放であると同時に呪縛であり、アジール（避難場所）であると同時に監獄でもある機制です。その〈近代〉が社会に浸透していくと、人々は〈ムラ〉から脱して〈都市〉に向かうのですが、その都市はまさに近代の中心として人々を資本の一部に組み込んでいきます。このように、近代は本源的に矛盾を含んでいます。ですからここで重要なのは、この「剰余」は近代の外部にあるのではなく、近代の内部に、近代が近代であり続けるための条件としてあることです。たとえば、「剰余」の労働力である流民たちや、「剰余」の消費者として遊民たちがいますが、彼らは都市の文化を中核的に担ってきた人々です。

このような微妙で両義的なうごめきを理論化していくのはけっこう厄介で、私は自分の最初の本でそれが十分にできたとは思っていません。浅草や新宿に集まってきた人々の身体に、狭義の近代には回収されない身体性がうごめいていたこと、それらがどう触発し合い、都市を演じていたのか。そこのところを『都市のドラマトゥルギー』でも探究しているのですが、十分な答えは出せていない気がしていました。つまり、近代の亀裂や外縁、そして近代そのものが内包しているノイズを、どのように演劇のアナロジーから社会を分析するドラマトゥルギーという視点によって浮かび上がらせていくか、この課題が残ったと言えるでしょう。

ドラマトゥルギーと「劇場的権力」

――先生の研究の特徴のひとつは、図式のクリアカットだと思います。都市論で言えば、あえて四つの盛り場に着眼し、それらを生成する装置（制度や政策、権力）と、その時代変遷をめぐるマクロな次元での考察が非常にシャープです。その一方で、そうしたわかりやすい図式化からこぼれ落ちるものがあるのではないでしょうか。たとえば人々の具体的なパフォーマンス、あるいは個別の発話や実践、すなわちパロールについては、あまり分析されていないように見えます。

吉見　それは私の限界でしょうね。

——限界というより、先生の研究がそこに向かわない、ということではないですか。

吉見　人々の個別的なパロールを考察し、そこにあるリアリティを記述していくことは都市エスノグラフィの伝統的な手法と言えますが、たぶん私がやっても、たいした仕事はできないと思います。その意味で私はまっとうな都市社会学者ではないのです。

——なぜパロールに興味がないのでしょうか。先ほども言われていたように、先生は『都市のドラマトゥルギー』で相互媒介的な身体性に着眼しているにもかかわらず、あるいは後ほどお聞きするカルチュラル・スタディーズに取り組まれてきたのに、個々の人々のパフォーマンスや具体的な身体などのミクロな次元を研究しない理由はどこにあるのでしょうか。

吉見　鋭い問いかけですね。そう、どこにあるのでしょうね。たしかに私は人々の個々のミクロな振る舞いにそれほど注目してこなかったかもしれません。その一方で、完全にマクロな次元だけを見てきたわけでもないのです。つまり、マクロなシステムの運動を抽象的に論じているのではなく、そうしたシステムのなかでミクロな振る舞いがどんなリアリティを経験するか、あるいは個々のミクロな振る舞いがどのようにマクロなシステムの運動に組み込まれていくか、そういうマクロとミクロの間の微分と積分のような関係を考えようとしてきたのだと思います。

その意味で私がやってきたことは中間というか、ミクロとマクロをコンテクスチュアルにつなぐ研究であったと思います。

都市がある種のドラマ、つまり上演だとすれば、私の関心はドラマの台本や舞台装置だけでもなく、個々の役者がどのような素晴らしい演技をしたかというミクロな次元だけでもなく、いわばその舞台と演技の間で織り成される結びつきについての上演批判であり、マクロな次元とミクロな次元がせめぎ合う、中間的でコンテクスチュアルな過程にあったのです。

――すると先生が言う「ドラマトゥルギー」とはいったいなんなのでしょう。それは事例分析でもなく理論研究でもないとしたら、いったいどう説明すればいいのでしょうか。

吉見　「ドラマトゥルギー」は、ある種の媒介変数ですね。ある人がある役を演じる。その役がどんな役であるかとか、その役と別の役の間にどんなストーリーが展開していくかということは、必ずしもドラマトゥルギーそのものではない。他方、どこかの都市空間がなんらかの演出家、つまり都市計画家やデベロッパーによってどのように演出されるのかもドラマトゥルギーそのものとはいえない。でも、ある人や人々が都市のある空間に集っていて、そこである役を演じるのだけれども、そのなかで彼ら自身が変化していってしまう。それは、彼らがデベロッパーのシナリオを変化させる場合もあれば、彼ら自身が自分たちのアイデンティティを変容させてしまう場合もある。いずれにせよそのような変化は、必ずしも個人の主体性に帰属するのでも、国家や資本の権力性に帰属するのでもないと私は考えてきました。もうちょっと関係論的というか、都市のなかのある場所や出来事の配置と人々の行動経路のさまざまな結びつきが媒介変数となってそうした変化を生じさせてきたのだと私は思います。ドラマトゥルギーとは、そのような意味で個と全体をパフォーマティブにつないでいる媒介変数です。

そうした意味で、私にとっての都市論とは、都市のさまざまな空間、具体的な場所において権力と身体の間に織り成されるドラマトゥルギーの分析です。『都市のドラマトゥルギー』のなかで、私は「われわれは単なる『読まれるべきテクスト』の分析から、そうしたテクストを生み出し、またそのことを通して組織されていくわれわれ自身の相互媒介的な身体性の分析へと向かわなければならないのだ」と書きましたね。[*3] 私は一貫して、都市をさまざまな社会的主体が関係し合う集合的なパフォーマンス、上演の現場として捉えてきましたが、それぞれの主体はテクストのなかの登場人物でもあるわけです。ですからそれらの人々を含め、都市の登場人物、街並みや景観、そこで起きた出来事をテクストとして解釈していくことは可能です。

ただ、都市は「読まれるべきテクスト」だと言ってしまうと、分析主体はそのテクストの外側に疎外されてしまう。それは、ちょっと違うのではないか。都市が、そのテクストの読み手も含めた相互媒介的にパフォーマティブな場だとするならば、「テクスト」よりも「上演」のほうが適切なモデルではないかと私は考えてきました。

いうまでもなく、こうした視点はフーコー的な権力論につながります。近代社会における身体性の制御が権力の姿であることを見破ったミシェル・フーコーが照準したのは「監獄」でしたね。[*4] フーコーの影響を受け、多くの人が「学校」や「工場」、さまざまな監視的な権力の作動について論じてきました。ところが都市というフィールドとフーコー的な権力論を結ぼうとした場合、都市を構成するのは工場や学校、あるいは住宅地だけではありません。都市では劇場や広場、デパート、ミュージアム、歓楽街、コンサートのようなイベント等々、要するにハレの場というか、広義に祝祭的な空間がその中核的な構成要素をなしています。「盛り場」を最初の研究対象に選んだ私にとって、そのような祝祭的ないしは劇場的な空間とフーコー的な権力論をどう結びつけるかということが課題でした。

私が、この結びつきを捉える基軸としていったのは〈まなざし〉という概念です。いうまでもなく、フーコーの一望監視装置（パノプティコン）をめぐる議論では、人々の身体はこちらからは見えない監視者のまなざしにさらされていきます。他方、都市の盛り場的な空間では、人々は権力のまなざしの前で自ら積極的に自己を演じていきます。まなざしがトップダウンで人々の身体領域に入り込んでくるというよりも、人々自身がボトムアップで権力的なまなざしの前に自分をさらしていく感じです。ですから、ここでのモデルは監獄ではなく劇場です。近代の都会文化の中核をなしていくさまざまな施設、つまり博覧会やミュージアム、デパート、ショッピングモールからテーマパークまでの諸施設は、そうした劇場的な空間で規律・訓練的なまなざしがどう働いてきたかを考える最重要の現場なのです。

――そうしたミクロとマクロの中間に作動する「組織化」のメカニズムを問うた『都市のドラマトゥルギー』に続く研究として、二作目の『博覧会の政治学――まなざしの近代』(中公新書、一九九二年)や、最近発表された『五輪と戦後』などの都市論が位置づけられる、ということでしょうか。

吉見　基本的にはそうです。『五輪と戦後』では、かなり忠実にかつて『都市のドラマトゥルギー』で試みた上演論的アプローチに再挑戦しています。つまり、かつて「盛り場」を上演として捉えたのと同じように、今度は一九六四年の「東京五輪」を上演として捉えたわけですが、この上演は「舞台」「シナリオ」「演出」「演技」「観客」などの諸次元に分節化されることによってより構造的に考察されます。

同時にこの上演は、異なる歴史時期に同じ構造が繰り返されていく傾向をもっている。かつては一九二〇年代の盛り場に生じた構造転換が、一九七〇年代の盛り場にも生じていたという議論をしたのですが、『五輪と戦後』では、一九六四年の東京五輪の基本型が、一九七〇年代以降の国内外のオリンピックの上演でいかに繰り返されていったかにも注目しています。要するに、上演論的な視座から言えば、ドラマは歴史を通じて繰り返されるのです。

実は、もし私が大学院を出た後、新聞研究所ではなく別の大学の社会学部に職を得ていたら、私はメディア研究者にはならなかったかもしれません。そうしたら、おそらく私は、『都市のドラマトゥルギー』の後にネーションのドラマトゥルギー、つまり近代天皇制国家のドラマトゥルギーの本を書いていたでしょう。まだ、一冊にまとめることができていませんが、その本はたぶん、第一章が天皇巡幸、第二章が博覧会、第三章が運動会、第四章が伊勢参り、そして第五章が日清・日露戦争の祝捷《しゅくしょう》大会という構成をとっていったはずです。実際、一九九〇年代のはじめに、私は天皇巡幸と博覧会、運動会、そして伊勢参りについて、それぞれかなりまとまった論文を単発で発表しています。*5

その後、メキシコの大学院に一年間教えに行ったり、カルチュラル・スタディーズの国際シンポジウムをやったり、オーストラリアに教えに行ったり、だんだんメディアの研究者になっていったりといろいろなことが起きて、結局、この近代天皇制国家のドラマトゥルギー論はいまだに完成していませんが、まだあきらめたわけではありません。

さらに言えば、本当は『博覧会の政治学』は、この近代天皇制国家のドラマトゥルギーとなるべきだった本からのスピンアウトでした。五回に及んだ内国勧業博覧会は、明治国家が近代を内部化するために開催していったさまざまな国民祭典のなかでも特別に興味深いものでしたので、そこを深掘りして本にしたのが『博覧会の政治学』です。近代天皇制国家のドラマトゥルギーというのは、要するに近代ナショナリズムの上演論ですね。その一部分はなんとか出版することができたのですが、全体は未完のまま今日にいたっています。

そして、この「ネーション」、日本の場合は近代天皇制国家のドラマトゥルギーの先に構想していたのが「アメリカ」のドラマトゥルギーでした。本書第四章のアメリカの章で詳しくお話ししたいと思いますが、日本の戦後は一言で言えば社会全般が徹底的にアメリカナイズされていく過程でした。そのことは、戦後日本人が一貫してきわめて安定的に強い親米感情をもち続けたことと表裏をなします。そして、このような戦後日本人の親米感情は、戦前期日本の帝国主義が冷戦体制を背景にアメリカン・ヘゲモニーへと引き継がれていったことを背景にしています。したがって、私はそのような日本近代の非連続的な連続性を、近代天皇制国家のドラマトゥルギーとアメリカナイゼーションのドラマトゥルギーを連続的な作業として進めることで明らかにしたいと考えていました。

このような見通しのなかで、私は一九八〇年代末から東京ディズニーランドの研究や東京圏の米軍基地についての研究を始めていたのですが、これらはいずれも戦後日本のアメリカナイゼーションを上演論的に分析する作業にまとめられていくはずでした。*6 これらの作業はその後、部分的には六本木や原宿、湘南海岸と米軍の関係を論じた『親米と反米――戦後日本の政治的無意識』（岩波新書、二〇〇七年）にまとめられていくのですが、あの本はもともとやろうとしていたことの一部にすぎません。

つまり、私は東京の「盛り場」のドラマトゥルギーの先で、「天皇制国家」や「アメリカナイゼーション」のドラマトゥルギーを展開し、日本の近代を中心から上演論的に相対化していきたいと思っていました。あのころからもう約三〇年の年月が経《た》ってしまいましたが、繰り返すようですが、私はまだこの構想をあきらめてはおらず、東大から離れるのをいいきっかけとして、人生の終わりまでにこの構想を実現させたいと企《たくら》んでいます。

なぜ東京の街歩きなのか

――二〇二〇年に刊行された『東京裏返し』は、二〇二三年の段階で四刷を数えるなど、多くの読者を獲得しています。すでにさまざまな街歩きの本があるなかで、『東京裏返し』がヒットしたのは、街をいくらでも自由に読めるテクストとして消費せず、また地形や建造物などを動かし難い存在として前提視するのでもなく、その「まち」が「組織されていく」プロセスというか歴史を身体的に体験できる「社会学的街歩き」の試みが、うまく受け入れられたからのようにも思えます。演劇において身体の動かし方がわからなければ演技ができないように、街をただ歩いていてもわからないことがあると考えれば、『東京裏返し』は先生が読者に提供している脚本のように思えてきます。まさに街歩きのドラマトゥルギー化ではないかと思いますが、先生ご自身はどうお考えでしょうか。

吉見　『東京裏返し』が街歩きのパフォーマーたちへの「脚本」だというご指摘、うれしいですね。そのような受け止め方をしていただいて、まさに「我が意を得たり」という感じがします。ただ、おそらくこの本を買ってくれた読者の多くは、学問的なパラダイムなど全然前提にしてはおらず、純粋に街歩きが好きという人のはずです。その人たちにとっては、ドラマトゥルギー云々《うんぬん》はたぶんどうでもいい。「都心北部を街歩きしたいのだけれども、どこを歩けばいいのかな」と、純粋にそうしたガイドブック的な関心からこの本を手に取っているのだろうと思います。私自身は、それでまったくいいのであって、この本はまずは社会学者版「ブラタモリ」としての普及を目指しています。

――とはいえ、あとがきに「本書の狙いは、街歩きを通じて都市に対するある考え方を獲得してもらうことにある。それは、この本で私が一貫して話しているように、街歩きを時間論として、都市を時間的存在として理解することである」と書かれたように、この本は単なるガイドブックではなく、〈時間〉という先生の新たな都市論が展開されている一冊と考えられます。

吉見　そうそう、それが本音かもしれませんね。まさしく私が『東京裏返し』で強調したのは、ある時代から次の時代への転換は、時間軸上に連続的に並んでいるわけではないこと、むしろ都市論的に言えば、異なる時代はその都市の空間的な広がりのなかで並存している。空間のなかに異なる時間が分布しているのです。しかも、それらは単に並立的にそこにあるのではなく、むしろ時代の歴史層は幾重にも重層していて、異なる歴史層の間には征服や排除の断層が緊張感をもって走っている。街歩きをしながらそこを見極めるには方法論的な知が必要で、それが社会学やカルチュラル・スタディーズ、ポストコロニアリズムなどの知になります。理論的に言えば、『東京裏返し』で私がやろうとしたのは、ある種の東京のポストコロニアリズム的な街歩きの実践です。

したがって、『東京裏返し』を書きながら私が導かれていったのは、都市の時間論です。先ほどの話と表裏ですが、都市空間のなかにさまざまな時間が並存しているのだとすれば、都市は本質的に時間的な存在でもあるわけです。その場合、単純に近代の時計的な時間で都市が動いているというよりも、都市はそこに共在している複数的な時間を生きている。世界のどこでも、その表通りが高速で流れる均質的な時間で覆われていても、少し路地裏に入ればその都市にかつてあった時間が今も残存し、崖下や川筋、高層ビルの隙間などにも異なる時間が静かに息づいています。そのような時間の複数性は、街歩きの経験を豊かなものにする最大のポイントです。旅先で、路地裏に入ると表通りとはまったく違う時間が流れているのを経験したことのある人は多いと思います。しかし一般には、近代都市でわれわれが前提としているのは、過去から未来へという直線的で均質な時間です。そうした直線的な時間は膨張し、すべての他の時間の表層を覆い、しばしばそれらを破壊する。つまり抑圧的に機能してきました。

——近代の時間軸が抑圧的とは、どういうことでしょうか。

吉見　今の話で言えば、表通りの均質的に流れているナショナルないしはグローバルな時間と、路地裏や崖下、川筋などに垣間見《かいまみ》えるもっと微細に重層している時間との関係が問題ですね。前者、つまり表通りの時間は、昨今で言えばグローバル資本主義の時間、もうちょっと社会学的に言うとイマニュエル・ウォーラーステイン的な意味での世界システムの時間につながっています。*7 他方、路地裏の時間は地域コミュニティの時間であることが多いと思いますが、ときには崖下や川筋、地形的な窪《くぼ》みのなかには死者たちの時間や歴史的に失われた都市の時間が息づいていることもあります。

たとえば、私は一九九〇年代のはじめ、一年近くメキシコシティで暮らしていますが、この巨大都市も表通りはアメリカナイゼーション、北米との経済統合のなかで資本主義の時間が露骨に浸透してきていました。ところが先住民の多い地区の路地裏に一歩入ると、生活のリズムもまったく異なるし、そこで祭礼の行列などに出くわすと、スペインの植民地だった時代の先住民たちの経験が今も想起され続けていることがわかるのです。都市において「生きられる時間」とは、そのような時間的重層性をはらんだものです。

ところが一般には、私たちはついつい表通りの時間だけが都市の時間なのだと思いがちです。

近代の時間軸に絡め取られた私たちは、本当は存在しているはずの歴史的他者の時間や周縁に追いやられた複数の時間を感じられなくなっているのです。街歩きは、多くの人々が、都市の下層に実は伏在しているそうした無意識化された複数の時間を再発見する、それらを再体験していく有効な方法論です。そのための実践的なガイドブック、先ほどの言葉で言えばシナリオを提供しようとしたのが『東京裏返し』でした。

――東京を歩くことでそういう他者の時間や複数の時間軸が感じられるようになるのでしょうか。

吉見　都市のなかを速く動いてしまうとそれは不可能ですが、ゆっくり歩けば可能だと思います。近代は暴力と不可分に結びついているわけで、とりわけ近代都市の歴史では暴力的に都市を壊していくことが繰り返されてきたし、今も繰り返されています。しかし、東京という都市は丘あり、谷あり、坂あり、川ありと地形が複雑で、比較的最近まで、どんな征服者でもそのすべてを一気に壊して新しいものを作っていくということがなかなか困難でした。そのため、過去のいろいろな時間がまだらに残ってきたのです。街歩きのリテラシーを身につけつつ、都市をゆっくり動きまわれば、そのような複数の時間が共在している断層が見つかります。

これが、街歩きの面白さですね。東京の街を実際に歩いてみると、いろいろな時代の位相が断裂をもって分布していることが本当によくわかります。そして、その分布の仕方が東京の地形と非常に深くかかわることも見えてきます。

もっとも、最近ではこうした複数的な時間性は危機に瀕しています。きわめて大規模にこの都市の時間的な豊かさを破壊したのは一九六四年の東京五輪でしたね。しかしそれでも、一九八〇年代初頭まではかなり古い多様な時間性が息づき続けていたのですが、八〇年代末のバブルと地上げによってひどいダメージを受けました。さらに二〇〇〇年代初頭の都心大規模再開発は、超高層のタワーマンションを建てる技術が進んだことで、そうした破壊を壊滅的なものにまでしていってしまいました。そうした破壊の最もシンボリックな下手人はもちろん巨大デベロッパーだったわけで、彼らが進めた街区単位での巨大開発は、今も東京の時間的重層性を回復不可能なまでに破壊し続けています。

街歩きのドラマトゥルギー

——『都市のドラマトゥルギー』で〈まなざし〉のドラマトゥルギーを分析されていた先生は冷徹な観察者でしたが、『東京裏返し』で街歩きをする先生の姿は、なんというか、プレースタイルが変わったという印象を受けます。

吉見　プレースタイルが変わったのかどうか、自分ではよくわかりませんね。ただ、私自身が楽しんでいるという意味では、若いころやっていた演劇の活動に近いかもしれません。街歩きは自分一人でやるというより、もう少し集団的なプロセスですから、そのなかで自分の役割を果たすというところがありますね。

――というと、街を歩くという実践あるいはパロールを自らおこなったなかで、もうひとつのドラマトゥルギーを見つけたということでしょうか。

吉見　あんまり、そうは思わないのですね。パロール云々はさほど関係ない。都市をまなざしの場として捉えるということは、『都市のドラマトゥルギー』のときから変わっていません。先ほどすでにお話ししたように、〈まなざし〉は都市という現場で身体と権力をつなぐ媒介変数です。しかし、近代的な時間を相対化する無数の複数的な時間という問題系は、まなざしによって見える世界の問題系とは別の次元で存在するのではないかと思いますし、そのことを街歩きの実践や自分の都市論のなかで、もう少し深く考えてみたいとも思ってきました。ですから、私の都市論が目論《もくろ》んできたのは、都市をまなざしの場として捉える視点と、都市を時間性の場として捉える視点、この両方の次元を含んだ都市論だとも言えるでしょう。

異なる時間が出会っていく場として都市を捉えるということは、まなざしの場として都市を捉えるということとは別の意味で、非常に演劇的な試みです。それはもうひとつのドラマトゥルギーだとも言えますから、そうした意味では、たしかに先ほどおっしゃられた「もうひとつのドラマトゥルギー」を発見したと言えないこともないかもしれません。しかしそれは、ラングとパロールの関係においてそうなのではまったくなくて、都市がまなざしの場であると同時に時間性の場でもある、この両面性においてそうなのです。

——異なる時間が出会うことが演劇的な試みになる……それは、どういうことでしょうか。

吉見　演劇はその根本において異なる時間との出会いです。序章でも述べたように古代のギリシャ悲劇でも日本の能や歌舞伎でも、基本的にはいにしえの死者が甦《よみがえ》り、生者と対話するのがドラマの根本です。アントナン・アルトー風に言えば、演劇の「影」は、常に過去の死の時間なのであって、そのような時間が忽然《こつぜん》と甦るとき、私たちはそこに慄然と劇的なるものが立ち上がるのを感じるわけです。人類は、そうした演劇行為を太古から、おそらくはホモ・サピエンスとしての誕生の初期から繰り返してきたわけで、そのような集合的な記憶の再生技術としての演劇は、近代文明はもちろん、都市や学問よりもよっぽど古くて根本的なものだと思います。そして今日でも、私たちの文化はそうした集団的記憶の再生を通じてこそ創造され続けている。都市のドラマトゥルギーは、この記憶の再生技術、失われたかに見える時間との出会いを繰り返す方法論としてなお有効なのだと私は思っています。

過去への回帰ではない都市の「未来」の可能性

――『東京裏返し』で注目して取り上げられている浅草や秋葉原、蔵前、そして王子などの都心北部は、たとえば銀座のような盛り場に対して「周縁化されてきた」エリアです。このエリアへの注目と再文脈化が単なる過去への回帰（「復古」）でないとすれば、それはいったいなんでしょうか。

吉見 つまり、吉見が『東京裏返し』でやっていることは過去への回帰ではないかという批判ですね。

――そうです。先生が「江戸時代に戻れ！」と言い出している、というふうにも見えます。

吉見 なるほど。たしかに『東京裏返し』では江戸や明治の東京、それら以上に家康がここにやって来る以前の武蔵野《むさしの》台地東端の風景について多く語っていますが、これらは必ずしも過去への回帰ではありません。なぜならば、そうした「過去」が、「現在」の一部でもあると私は思うからです。歴史が過去から未来に向かって直線的に進むという近代的な時間概念を前提にするなら、過去は後ろに、未来は前にあることになります。そうすると、過去を再生させることは後ろ向きの回帰です。

しかし、そうではないのではないか。そのような直線的な時間も現実の一部ですが、それだけではない多層的な時間性を私たちは生きている。たとえば季節の移り変わりと同じように時間が循環するのならば、過去は前にもあり、未来は後ろにもあります。その場合、時間性そのものが回帰し続けているわけだから、未来への回帰と過去への回帰の違いは相対的です。

ですから東京のなかで明治や江戸、さらには古代や中世を再発見し、それらを今、この場に甦らせていく方法を探ることとは、まさしく都市のドラマトゥルギーそのものなのであって、これは実践的、戦略的には過去から未来へという直線的に進行する時間軸を壊し、それとは異なる仕方で過去との接点を見つけることなのです。

実際、二一世紀初頭の社会を見回すと、一八世紀末以降の右肩上がりのプロセスが限界に達しているのは明らかです。つまり、かつての進歩主義的な直線的時間軸、あるいは時間感覚というものは崩れつつあると私は思います。今、われわれが生きている時代の最も重要なリアリティは、そうした成長型あるいは近代的な発展過程がそろそろ終わろうとしているところにあるのではないでしょうか。今日、近代を通じて社会的に構築されていた未来の信憑《しんぴょう》性が失われてきているとすれば、これからの都市について考えるときも、もはや近代の直線的な時間軸を前提にしなくてもいいということになるでしょう。

――『東京裏返し』が単なる復古ではないとすると、それとは別に都心北部が喪失した〈未来〉とはいったいなんだったのか、という問いは残ります。

吉見　いうまでもなく、私は開発路線を突き進んできた戦後東京に批判的で、その最悪の展開が一九六〇年代の日本の経済成長のなかでの東京改造だったと考えています。一九五九年に六四年東京五輪の開催が決まり、それ以降、スクラップアンドビルドで首都高速道路を急造し、路面電車を廃止してクルマのための都市を実現し、高層ビルを林立させていきました。その延長線上に現在の東京もあるわけですが、そうした戦後成長主義的な近代化路線をもうこれ以上続けるべきではありません。

むしろ東京の〈未来〉は、オリンピックを契機に高度経済成長が壊してしまったものを復興することにあります。そのひとつの可能性として、『東京復興ならず――文化首都構想の挫折と戦後日本』（中公新書、二〇二一年）で取り上げた、都市計画家の石川栄耀《ひであき》らの文化主義的都市論が挙げられるでしょう。また、彼らが思い描いた東京の未来よりもさらにラディカルだったのは、建築家の吉阪隆正《よしざかたかまさ》さんが仙台について考えていた都市の未来だと思います。私や大澤真幸、政治学者の酒井啓子、文化人類学者の上田紀行《のりゆき》などはみな見田宗介先生のゼミ生でしたが、見田ゼミはいつも吉阪さんが設計された八王子の大学セミナーハウスで合宿をしていました。見田先生がそこをとても気に入っていたからです。吉阪さんの都市ビジョンは、ざっくり言えばあの大学セミナーハウスの集落群の延長線上にあった。私のやはり恩師であった原広司先生の言葉で言えば、「集落としての都市」です。*8 ですから、戦後日本の都市発展の主軸は、建築家の丹下《たんげ》健三や都市計画家の山田正男が進めた成長主義的ラインにあったわけですが、そうではない、異なる未来像がまだたくさん眠ったままになっているのです。

もうひとつの論点は、日本社会が閉塞化するなかで地域に戻っていく、つまりローカリズムによる充実があるのではないかということです。一般には閉塞は悪いことだとされますが、経済成長が環境限界まで達すれば、成長主義の近代は飽和し、閉塞は必然です。ですから、再び成長するのではなく、より深く閉塞していくことが大事なのではないかと思います。まちづくりに関係しますが、今、若い人たちが地域に戻っているのは面白い動きです。地方都市の動きを私は十分に調べられてはいないのですが、『東京裏返し』もそうしたローカリズムと連携する試みのひとつと言えるでしょう。

――もう一点お聞きしたいのは、〈予測〉としての〈未来〉は、経済予測のようなものに限らず、生活全般がシミュレーションによって成立する現実でもあると思います。グーグル・マップから食べログまで、あらゆる出来事と行動がシミュレートされている現代の時空間にあって、都市という空間がもつ価値というか、ある種、特権的な意味というものがあるとすれば、それはどのように考えられるのでしょうか。

吉見　今のように莫大《ばくだい》な情報がデータ化され、ＡＩ的に予測可能な技術が高度化してくると、未来はもはやビッグデータ解析のなかにあって、その延長線上に予測される未来を変更する可能性など都市からもうほとんど失われているかのように思えます。今の質問は、それなのになお都市にこだわり続ける価値はどこにあるのかという問いですね。

私自身は今のデジタル社会を考察する技術的リテラシーを欠いているのですが、上演論的視座から言えば、やはり身体に対する信頼が必要だということです。人々の表向きの振る舞いはシステムが予測できるとしても、それぞれの身体はその予測可能性とは違うレベルでも存在し、ＡＩとはまったく異なる仕方で過去を想起したり、未来を出現させたりしていくはずです。とりわけ都市は、そのような身体が、異質的に、つまり不協和音や雑音、軋轢《あつれき》や衝突を多面的に含んだ仕方で交渉していく現場です。そのような交渉は不確定で非連続です。この不確定性や非連続性はＡＩの予測能力の彼方《かなた》にあります。

さまざまな身体が特定の場所に集まる。それは酒場であったり劇場であったり学校であったりするのですが、そこでお互いに触発されるものは、データには還元されないノイズです。というのも、身体は根本的に複数形で、マテリアルで相互媒介的です。メルロー＝ポンティを引き合いに出すまでもなく、*9 それは触ることのできる空間のなかにあり、そこに複数の相互に関係的な身体性があることによって初めて身体は身体として在ることができます。だからこそ演劇は、それこそ数千年にわたりそうした複数的な身体性を前提に成立してきたのです。身体が複数的でなければ、そもそも演劇なんて不可能ですよね。私たちは日常的に、ドラマを通じて他者になり続けていきます。それができるのは、私たちの身体がそもそも複数的だからです。

そして、そのような複数的な身体性の場、つまり他者を演じることを可能にする場が都市なわけで、都市とはそうした身体の複数的な、つまりノイズ的な空間です。最近では、ロボットを相手にする演劇はいろいろありますが、私はロボットだけでは演劇は成立しないと思います。同様に、いつか都市をアンドロイドが歩くようになる時代がくるかもしれませんが、アンドロイドだけで都市が生きられる時代は永久にきません。なぜならば、ロボットもアンドロイドも他者が不在で、複数的な身体ではないし、しかも死なない、死者になれないからです。演劇にとっても都市にとっても、他者と死は必要不可欠な条件です。

――バーチャルな世界観には身体性があるのかないのかということは、メディア論ともつながる、重要な論点です。とくに、メタバースなどバーチャルな空間に馴染《なじ》んでいる若い世代にとって「バーチャルな身体が信じられない」という先生の意見には反論があるかもしれません。

この点については、次章でさらに議論を深めていきたいと思います。

第二章　メディアと身体——資本主義と聴覚・視覚

『「声」の資本主義――電話・ラジオ・蓄音機の社会史』

講談社選書メチエ、一九九五年
（文庫版：河出文庫、二〇一二年）

文字の複製である活字は、性別や年齢などを表さないため、人称性をもたない。それゆえ抽象的で、内省的なコミュニケーションを可能にする。だが声は、常に人称性をもつ。客観的で抽象的な声など存在しない。すると声を複製する技術として続々と出現した近代のメディアたちは、いかなるコミュニケーションを可能にし、どのような社会を編み成していったのだろうか。本書は、複製した「声」を人々が消費し始めた一九世紀後半から二〇世紀前半の電話、ラジオ、蓄音機（レコード）の歴史を問うことで、新たなメディア技術と人々の身体が交渉していく過程を分析し、いかに近代社会が編制されていったのかを問う。若林幹夫と水越伸《しん》との共著『メディアとしての電話』（弘文堂、一九九二年）と同時期に雑誌で連載された、吉見俊哉のメディア論の第一作である。そこでは日本語圏で独自に発達した社会史や歴史社会学の方法論をメディアの研究に応用して、前作までの都市論で展開した文脈的な身体や場から問うまなざしも援用して、新たなメディア史研究の可能性が示されている。

『視覚都市の地政学——まなざしとしての近代』

岩波書店、二〇一六年

まなざしは、吉見の研究にとって最重要の概念のひとつである。そのまなざしの近代性を探究するため、都市、メディア、そして社会をめぐる問題をいくつもの事例から論じる本書は、吉見が一九九〇年代から発表してきた多数の論考で構成され、新たに書き下ろした序章と終章とあわせて、その三〇年近いメディア研究の軌跡を記録している。なかでも都市論とメディア論が交差する具体的な「場」として、百貨店や映画館、また街頭テレビやテーマパークなどに着目し、独自の上演論とメディア史の方法を展開した論文は貴重であり、そして終章ではアーカイブ研究や、後述する『空爆論』とも接続する新たなテーマ群も論じられている。吉見がメディアについて正面から論じた著作は意外に少ないが、本書に収められたメディア論を一連の「流れ」で再読すると、それぞれの問いの所在と、他のテーマとの関係性が明確に見えてくる。本書は都市とメディアをめぐる吉見の研究世界の縮図であり、その集大成である。

『空爆論――メディアと戦争』

岩波書店（クリティーク社会学）、二〇二二年

吉見が独自のメディア史研究の視座から戦争、なかでも戦場に着目し、「上空からの眼差し」の実践としての空爆を考察した、まなざし論の新展開となる学術書。視《み》ることは殺すことである、という空爆の本質を問い返すため、支配し、侵略し、そして殺害するまなざしの極限としての航空爆撃を歴史的に分析する吉見は、空爆の起源から太平洋戦争における東京「空爆」、そして第二次世界大戦後の朝鮮戦争、ベトナム戦争、湾岸戦争などを考察し、現在も続くロシアのウクライナ侵攻とドローンによる空爆まで射程を伸ばし、メディア技術としての戦争とその現代社会の権力構造を論じている。本書の解説は吉見ゼミ出身で東京大学の同僚、北田暁大《あきひろ》が執筆している。

吉見俊哉のメディア論とは

——第一章で、先生はさまざまなテーマを越境してきたように見えて、実は一貫して都市を探究してきたのだという話がありました。しかし、日本メディア学会やデジタルアーカイブ学会の長などを歴任してきた先生が、国内外のメディア研究に大きな影響を与えたのは事実です。そこでうかがいたいのは、なぜ先生にとってメディアは主題になりえなかったのか、ということです。

吉見 おっしゃるように、私は世間的にはメディア学者と思われているのでしょうから、その私が、実はメディアは中心テーマではなかったのだなどと言ったら、みなさんから「この期に及んでどういうことだっ！」「吉見俊哉の裏切り！」「私たちを見捨てるのか！」と責められても仕方ありませんね。しかし、純粋にいわゆるメディア研究のスタンダードと言いうる形で私が書いた論文や単著は、実はかなり少ないのです。

——そうおっしゃいますが、先生が書かれたメディア研究の著作は影響力が大きく、たとえば『メディア文化論——メディアを学ぶ人のための15話』（有斐閣アルマ、二〇〇四年）はいまだに版を重ねてさまざまな大学で教科書として使われていますし、海外の読者にも広く読まれています。

吉見　あの本が多くの読者に恵まれ、しかも多言語で翻訳出版されているのはありがたいことですが、私自身は、これを自分の主要な仕事だとは考えていません。この本は二〇〇四年に出版されましたが、その前提には東大で同僚だった水越伸さんと九〇年代に取り組んだ放送大学の講義「メディア論」があり、同時にさまざまな大学でメディア関連の学部や学科が増えていくなか、共通の土台となる教科書が必要なはずだという思いがあってまとめたものです。

この本が出たのは約二〇年前で、当時はまだ「マス・コミュニケーション研究」の教科書はあっても「メディア文化」を正面に掲げた教科書はほぼありませんでした。しかし、当時、すでにメディア関連の学部がどんどん開設されていて、学生たちのメディア文化への関心は拡大していましたから、しっかりした教科書がないのはちょっと問題ではないかと思っていたわけです。それで、まずはメディアを学ぶ学生たちのための標準的な教科書を出して、新しい授業設計のための叩き台を提供できればと思っていました。ですからこれは、純粋に教育的な関心からの本で、研究的な本ではないのです。

でも、このような逃げ腰の答えでは、みなさんはまったく納得されないと思うので、もう少し私の研究のなかでのメディアの位置についてお話ししておきたいと思います。一言で言うならば、私のメディア論は、演劇的な場としての都市という一方の中心軸を保持しつつ、与えられた条件から導き出されるもう一方の中心軸との対話のなかで発見されていった研究フィールドという、すでに述べたパターンの典型例だと思います。私は、東大新聞研究所やそれを改組した社会情報研究所において、一九八〇年代末からさまざまな共同プロジェクトを組織しています。その最初の取り組みは若林幹夫さんや水越伸さんとやった電話の社会学的研究で、これは『メディアとしての電話』にまとまりましたね。*1

社会情報研究所への改組を経て組織として始まった「高度情報社会の研究」では、青木保《たもつ》先生や柏木博《かしわぎひろし》先生にご協力いただき、デザインや文化複合、ネットワークについての共同研究班のとりまとめをしました。*2 要するに、メディア・コミュニケーションそのものの研究はそれほどしていなくて、電話や家電（としてのテレビ）といった装置系、それらを媒介に醸成されていく文化やネットワークを考えてきたのです。メディア・コミュニケーションの軸を、できるだけ都市論的な軸に近づけようとしていた企図の結果だったと思います。

――「メディア学者・吉見俊哉」は、あくまで求められた役割を演じた結果だった、というわけですか。吉見ゼミでわれわれは、いったい何を学んでいたんでしょう……。

吉見　あくまで求められた役割を演じたというよりも、与えられた条件と自分の主軸との間の対話の結果だということですね。それと、言い訳ではありませんが、「メディア学」「社会学」などと属する集団によって垣根を作るのは、アカデミズムまでを含めてタコツボが大好きな日本特有の悪《あ》しき現象です。思考法が単純すぎます。問題意識にしたがってジャンルを越境していくのは学問にとって自然なことですから、そもそもメディア論と都市論を厳密に分ける必要などあるのでしょうか。実際、両者は深いかかわりを最初から多重的にもっており、メディア論者が都市を語る、あるいはその逆の例はいくらでもあります。

たとえば、シカゴ学派都市社会学のファウンディング・ファーザーのロバート・エズラ・パークはもともとジャーナリストで、初期には新聞研究の論文を多数発表しています[*3]。また、メディア論の古典『複製技術時代の芸術』のヴァルター・ベンヤミンがパリについて思索を重ねた『パサージュ論』は、都市論でありメディア論でもある傑作です[*4]。他にも都市研究者がメディアを論じるケースは多く、新都市社会学の流れを作ったマニュエル・カステルは『インターネットの銀河系』という大著を出していますし、シカゴ学派都市社会学の第四世代といわれたクロード・フィッシャーも、『電話するアメリカ』という大著を書いています[*5]。ちなみにこの

『電話するアメリカ』は、メディア論と都市論をつなぐ優れた実証的研究だと思いましたので、私が監訳する形で日本語訳を出しています。要するに、主だった都市社会学者のほとんどはメディア研究者でもあったのです。

さらに、スチュアート・ホールが先導したブリティッシュ・カルチュラル・スタディーズがメディア研究なのか都市研究なのかを判定することなど無意味だと思います。その主要メンバーだったデビッド・モーレーは、テレビ・オーディエンス研究で大きな影響を与えましたが、最近ではモビリティ研究をおこなっています。[*6] 私との私的な会話のなかで、モーレーは、「六〇年代、七〇年代はメディアが家庭に入っていった時代だが、今やメディアは都市に出て行っている。だから都市論とメディア論は切り離せないし、メディア論においてモビリティの問題は中心的なテーマだ」と言っていました。私もまったく同感です。それから、同じく批判的メディア研究で重要な仕事をしたロジャー・シルバーストーンは、これも私との私的な会話のなかでしたが、メディア研究者がミュージアムのような空間の分析をするのは当然だと言っていました。ミュージアムの来場者研究はテレビのオーディエンス研究と同じことで、ミュージアムのほうが来場者をよく観察できるというのが彼の主張でした。[*7] そこから言えば、盛り場での来客調査も一種のメディア・オーディエンスの研究なのです。

このように、メディアと都市を厳密に分けることなどできません。私が都市のほうに軸足を置くのは、私には身体とそれが置かれる場所へのかなり強いこだわりがあるからです。ですから、これまでの議論を確認しておけば、私は自分がずっと「都市」をテーマにし続けてきたと言いましたが、「メディア」をテーマにしてはいなかったと言っているわけではまったくなくて、むしろ私にとって「メディア」は、「都市」研究の一部であったという感じなのです。

――おっしゃることはわかりますが、先生にとってなぜメディアは主題にならなかったのかという答えにはなっていないように思います。

吉見　私はあんまりそのふたつを区別してはいない。でも、軸足は都市のほうにあると言っているのですけどね。私自身は、あまりメディア論のアイデンティティにこだわってはいない。ですので、これからする議論がどのくらい意味があるのか、よくわからない面もあるのですが、執拗《しつよう》なご質問ですので、ちょっと無理をしてメディア論と都市論、それぞれ領域の中核にある問いの違いが何なのかを考えてみることにしましょう。

メディア論の問いの核心を突き詰めていけば、それはやはりマーシャル・マクルーハンが言ったように、「身体の拡張としての技術」の問題になります。文字の発明以来、人類のコミュニケーションとテクノロジーは不可分な関係をなしており、とりわけ近代以降、目や耳の技術的拡張として、さまざまなメディアが社会的に制度化されてきました。すでに古代から、身振りや口承によってではなく文字により書物のなかに知識が記憶され、再生されていた。やがて、その延長線上に、印刷術から写真や映画、電話やラジオ、そしてコンピュータやインターネットが誕生していく。メディア論の根底にあるのは、やはり身体とテクノロジーの関係の問題で、そこに注目した点でマクルーハンは正しかった。

これに対し、都市論の根底にある問いは、私は「諸身体の集合としての社会」の問題なのではないかと思います。技術によって媒介されているかどうかではなく、さまざまな個人や社会集団が都市に集まっている。その集まりにおいて異なる主体間の交換や交渉、共同や対立、無数の出会いが生じていくことになる。私の関心が都市に向かうのも、異質なバックグラウンドをもった異なる他者たちが都市という場に集まることで、ある種のフリクションや矛盾も含めた相互作用、つまりドラマが生まれるからです。時代を経て、時を重ねるほどに、身体の拡張としての技術の問題と人々の集まりという都市の問題は切り離せなくなっている。だからメディア論と都市論は不可分なのですが、問いの焦点が技術にあるのか、出会いにあるのかという違いが、両者にはあるようにも思います。

――マクルーハンはメディアの身体性に着目した一方で、空間だけでなく歴史についてもほとんど論じていないですね。

吉見　それは面白いポイントですね。なぜなら彼は、メディアの歴史を詳しく論じていますが、彼が歴史を論じるときは、いつも技術が作用因で、歴史の変動がその結果です。彼は印刷革命と宗教改革や科学革命、さらには近代資本主義の間に不可分の関係があることを十分に理解していましたが、両者の因果関係ではだいたいメディアが独立変数で歴史的変化のほうが従属変数になります。これが、彼がしばしば技術決定論ではないかと批判される理由ですね。

同じことは、メディアを取り巻く空間についても言えて、マクルーハンはメディアが周囲の空間のあり方をどのように変化させていくかは十分に理解していたと思いますが、そうした周囲の空間が個々のメディアをどのように条件づけていたかにはあまり関心を向けていません。彼は、別に歴史や空間というファクターを排除していたわけではありませんが、歴史や空間がメディアを枠づけているとはあまり思ってはいなかったとも言えそうです。

——では、メディア論と都市論をどのようにつなげることができるでしょうか。

吉見　そもそもふたつは分かれてなどいないと私は思っているので、「両者をつなぐ」という言い方に違和感がありますが、せっかくの質問なので、あえてその問題設定に乗っかっておきましょう。図式化すれば、両者の間には三通りの関係があると思います。

ひとつ目は、「メディアとしての都市」です。先ほどもお話ししたように、博物館や美術館は、デパートやテーマパークと同じようにメディアです。かつて私は、戦後日本のアメリカナイゼーションとの関係で東京ディズニーランドについて論じましたが、そこでの議論のポイントは、ディズニーランドがそれ自体、映画スクリーン的なメディアとして存在していることでした。[*8] ミュージアムもまたさまざまな観客とのコミュニケーションを内包したメディアで、メディア論の諸概念が適用可能です。さらにデパートやショッピングモールも同様の空間で、今日、店内全体をメディアとして演出できているデパートと、相変わらず大型商業施設として運営しているデパートの明暗は歴然としていますね。このような考え方を広げれば、都市はそれ自体、さまざまなメディアの複合体なのです。

ふたつ目は、「都市におけるメディア」です。映画館、書店、街頭テレビ、屋外広告、携帯電話といったメディアを、それらが置かれた都市空間に根差して文脈化されたものとして捉えることができます。社会学的な方法論が有効性を発揮するメディア論ですが、同じように人類学、社会史、マーケティングなどのアプローチも可能でしょう。そしてこれは、私自身が街頭テレビ論や映画館論で試みてきた作業でもあります。これらの場合、メディアは文字通り情報メディアなわけですが、それらが置かれる場所が重要で、メディアとその位置する空間的な文脈との関係がメディア論的に探究されるわけです。

そして三つ目は、「都市としてのメディア」です。これは、都市をどう定義するかにもよるのですが、多数の異質な他者が一時的、可変的に接続し続ける開かれた場として都市を定義するならば、そのような都市は物理的にのみならずメディア空間上にも存在することができます。たとえば、電話のなかにはまさにそのような「都市」が存在し続けた。電話が家庭のなかに入ってくることは、家庭のなかに都市が入ってくることと同じです。当然、インターネットやソーシャルメディアでも同様の問題領域が成立しています。

――「メディアとしての都市」「都市におけるメディア」「都市としてのメディア」があるのだとしたら、さらに四つ目として「メディアにおける都市」がくるのではないでしょうか。

吉見　それは、ないんじゃないかな。

――しかし、たとえば〈聖地巡礼〉は映画やアニメのなかでシミュレートされた都市を実際にめぐる行為ですし、グーグル・アースやストリートビューで世界各地をめぐることは若者を中心に当たり前のことになってきていますし、あるいは「ポケモンＧＯ」などは、「メディアにおける都市」というアプローチで研究できると思います。

吉見　なるほど。言われてみれば、その通りですね。「メディアにおける都市」という次元では、都市はメディアが描き出す表象として存在するわけです。ですからその分析の方法論は、ナラティブやテクストの分析、文学研究や映画研究に近くなります。たしかに、そのような仕方で文学や映画のなかに都市がどう描かれてきたかについて、これまでも非常に多くの研究がなされてきました。私自身はコンテンツ自体の分析にさほど強烈な興味がないので、先ほどは考えが及ばなかったのでしょう。これは、私の弱点ですね。

――弱点というより、コンテンツに対する関心の薄さは、吉見先生の研究の特徴でしょう。メディア研究者がともすればコンテンツ分析に傾斜しがちであることを考えると、先生のスタンスは独特だと思います。

吉見　褒められたのか貶《けな》されたのかよくわかりませんが、どうもありがとう。関心の薄さというよりも、そうした関心の濃さでは、私は他の文学研究や映画研究、テレビ研究をされていらっしゃる方々にとてもかなわないので、そういうことは彼ら彼女らにお任せしたいと思っているのですね。もちろん私も、文学ならば漱石や荷風、谷崎潤一郎から戦後文学までが描く東京について、映画ならばゴジラと東京について論じることがあります*9。アニメでも大友克洋《かつひろ》さんから庵野《あんの》秀明さんまでの作品は都市論になりますね。ただ、これらについては間違いなく私よりも優れたテクスト分析者がいる。だから、いろいろな目的でそうした表象の分析をすることはあっても、そこに自分の独自性があるとは考えていない。

ですので、私はやはりテクストの人ではなくコンテクストの人なのだと思います。そのような関心の傾きからすると、テクストやナラティブを語っていても、そうしたテクストやナラティブを可能にしているコンテクスト、つまりオーディエンスとの関係が位置づけられている場、地理的な空間としての都市でのテクストの上演、つまり言説の内容よりもそのパフォーマティブな作動に関心が向かうのです。たとえば、最近の若者たちの聖地巡礼は都市をコンテンツとして楽しんでいるのでしょうが、私には、それはそのコンテクストである都市の諸装置がもたらす作用に見えるのですね。聖地巡礼をする人たちは、「メディアのイメージにあわせて」演出された風景のなかで自ら望んでコンテンツになるわけですが、そのようなメディアのイメージを可能にしていく都市の地理的、空間的な布置が重要だと思うのです。

「電話」以外のメディアの都市性

――ここで先生が取り組まれてきたメディアの研究について質問したいのですが、先生の初期の著作に『「声」の資本主義　電話・ラジオ・蓄音機の社会史』があります。先ほど、電話は「都市としてのメディア」であるという話がありましたが、なぜ電話に注目したのでしょうか。

吉見　私が就職した一九八〇年代末の東大新聞研は、高度情報化やケーブルテレビの研究をしていたのですが、私自身はどちらにも興味をもつことができませんでした。では、自分の軸足である都市に一番近いメディアはなんだろうと考えたとき、電話だと思ったのですね。電話のなかには「異質な他者が一時的、可変的に接続し続ける開かれた場」として都市が見えることに加え、電話はマクルーハンが言うところのユーザーによる参与性が高い「クールなメディア」ですから、逆にコンテクストの作用が非常に強く出るわけです。

マクルーハンが正しく指摘したように、電話の対極にあるのは映画で、映画はやはり「作品」です。映画の研究にはテクストの精緻な読みがどうしても必要になってくる。それを回避しようとすると、「映画」の研究から「映画館」の研究を切り離してみることが必要になる。他方、電話のなかで織り成されるのはあくまで「会話」で、基本的には「作品」ではありません。「会話分析」というのもありますが、むしろ電話研究が面白くなるのは、会話の中身の分析よりも、そうした会話が演じられる場の編成を、装置としての電話の空間的な布置から読み解いていくことだと考えました。それで、同じく新聞研の助手だった水越伸さんや私と同じ駒場の相関社会科学出身で社会学を専門とする若林幹夫さんを誘って共同研究を始めたのです。その成果が共著『メディアとしての電話』です。

――電話以外の聴覚メディアは都市論にならないということですか。

吉見　都市論にならないということではありません。電話以外の聴覚メディアとしてすぐに思いつくのはラジオとレコードでしょうか。ラジオやレコードも電話と同じく、家庭に入ってくる前に都市のどういうところに布置され、どんな聴衆を集めていたのか、そしてどうやって都市から家庭に入ってきたのかを分析する、つまり「都市におけるメディア」という意味は可能だと思います。それから、先ほどの話で言えば、「メディアにおける都市」というアプローチでも、ラジオやレコードの分析は可能ですね。ラジオやレコードが普及していくようになり、流行歌やラジオドラマで都市がどのように描かれていったのかという分析です。ですから、電話以外の聴覚メディアでも都市論になります。

しかし、ラジオやレコードが「都市としてのメディア」なのかは疑問です。ラジオは戦時宣伝の媒体でしたから、都市的というより国家的なメディアだったと言えるでしょう。他方、レコードは本に近いメディアで、出版論や記憶論と親和性がある。しかし最近の流れで言うと、電話はＬＩＮＥになり、ラジオはポッドキャストになり、レコードも音楽配信システムになってきましたから、すべてがインターネットに統合されて区別がなくなりました。そしてインターネットは、それ自体きわめて都市的なメディアですから、今ではもうすべてが「都市としてのメディア」なのだと言えなくもない状況になっています。その意味でも都市論とメディア論を区別することはますます無意味なのではないかという気がします。

――視覚メディアについては、どうでしょうか。テレビや映画は都市的かつ演劇的であり、先生のドラマトゥルギーとの親和性は高いのではないかと思います。先生は後に映画館や街頭テレビの研究もされていますが、それらを都市論とメディア論をつなぐ中心的な研究対象に選ばなかったのはなぜでしょうか。

吉見　最初に答えを言っておけば、先ほども述べたように私はそもそも都市論とメディア論をつなぐという問題設定はしていないのですね。両者が別々のものであるという発想は、昔の私にも、今の私にもありません。しかし、今、おっしゃられようとしている意味では、私がやろうとしてきたのはあくまで都市論で、メディア論ではないと強弁しておきましょう。

もちろん、映画とテレビはメディア論のど真ん中の研究対象ですから、さまざまな仕方で都市論と「つながって」います。ですから私は、そのような「つながり」に注目して映画館や街頭テレビの研究をしたのだと言えなくもありません。しかし、厳密に言えば「映画」と「映画館」、「テレビ番組」と「装置としてのテレビ」は同じではありません。私は都市の装置の一部としての「映画館」や「テレビ」について論じていますが、「作品としての映画」や「番組としてのテレビ」については中心的には論じていません。それは、果たして都市論とメディア論を「つないでいる」ことになるのか、ならないのか、私は別にどちらでもいいのですが……。

しかし、少なくともこの都市の装置の一部としての映画館やテレビについて言えば、『都市のドラマトゥルギー』や『博覧会の政治学』で追究した問題系ときわめて連続的な研究対象であることがすぐにおわかりになると思います。実際、テレビが街頭から家庭へどう入っていったか、映画館が都市のどのような場所に配置され、いかなる階級やジェンダー、出身の観客がそこに集まっていったのかという分析は、私が『都市のドラマトゥルギー』でやった盛り場のなかの興行館や百貨店の研究の延長線上にあります。その意味で、映画館やテレビ、電話についての私の仕事は、メディア論という以上にメディアをテーマにした都市論なのです。私にとって重要なのは、あくまで身体的な場として空間のなかにメディアがあることです。メディアが発信するメッセージやコンテンツの分析ではなく、異質な人々がその周囲に集い、それぞれの上演を可能にしていく場としてのメディアが、どのようなコンテクストにおいて現れていたのだろうか、ということを問うてきたのですね。

「ネット」への違和感はどこからくるのか

――異なるバックグラウンドの人間が出会う場が都市的だということならば、今やリアルな場よりネットのほうが都市的かもしれません。とくにユーザーたちの上演によって駆動するソーシャルメディアは、新聞やテレビなどのマスメディアよりも演劇的な構造をもっていると考えられます。まさにドラマトゥルギーの視角を応用しやすいテーマですが、先生がこうした新しいメディアに取り組む可能性はありますか。

吉見　ネットがとても都市的な場であるというのはその通りですね。ですから、次世代のメディア研究者にとって、「都市としてのネット」の文化政治を読み解いていくことはきわめて重要です。私は、学会長として「日本マス・コミュニケーション学会」から「日本メディア学会」への名称変更を推進しましたが、その際に考えていたことのひとつに、まさしくそのような研究を若手の間で促進したいという思いがありました。ですから、今、私の目の前にいらっしゃるみなさんが教える学生たちやこの本を読むみなさんには、「都市としてのネット」のポリティクスをクリティカルに分析する作業をどんどんやってもらいたいです。

ただ、これは弱音に聞こえるかもしれませんが、このテーマに自分が本格的に取り組むには、私は年を取りすぎています。「都市としてのネット」は、これからますます変化していきます。ですからその全貌が見えてくるのは、たぶん二一世紀半ばでしょう。今、私たちが目の当たりにしている状況が最終形ではまるでないのです。ネット社会の完成形が見え始めるころ、私はもう八〇歳を過ぎていて、死んでいるかもしれない。これは、人生の残り時間があと二〇年くらいになった人間が取り組むべきテーマとは思えません。

――いやいや、先生がネットやソーシャルメディアの研究をしないのは、単に若くないからというだけではないように思いますが。

吉見　いやいや、感覚的に言うと、若くないことと老いていることは違います。老いてくると逆によく見えてくる風景があり、それがすごく面白い。しかも、いろいろな仕事を自分の残り時間を意識しながらしていくようになる。今回、定年退職の年齢に確実に達したように、死は確実にそのうちにくるのであって、違いはそれが一〇年後なのか、二〇年後なのか、三〇年後なのか私にはわからないことです。そして自分の残り時間が希望的にまだ二〇年くらいはあるのではないかと思ったときに、その残り時間を最もエキサイティングな研究に使うとしたら、私が向かうのはネットではありませんね。

もうちょっと理論内在的に、なぜ「都市としてのネット」を本格的なテーマにしないのかという理由を述べるとすれば、それは身も蓋もない話ですが、要するに「都市としてのネット」のその「都市」は本当の都市ではないように思うからです。若林幹夫さんの「二次的定住としての都市」という定義がありますね。私は適切な都市の定義だと思っています。その際、まず「一次的」とは、人類史を通じて地球上に無数の村落共同体が形成されてきたわけで、それらが一次的な共同体です。都市は常にそのような一次的な共同体の外部に成立します。都市の外部性は家族に対してもそうで、家族的な共同体の外部に都市があるわけです。このような二次性において、ネットはたしかに都市的です。近年、家族や地域、学校や職場でのコミュニティの外に広大なネット社会がグローバルな規模で増殖してきました。そして、この傾向は今後も続いていくでしょう。

問題は、私たちはネット空間に居住すること、つまりそこに共同的な存在として住まうことができるのかという点です。私は、この「共同的な存在として住まう」ことは、たとえ今後、私たちの日常にますますバーチャルリアリティの技術が浸透し、ネット空間のなかにさまざまな高精度のメタバースが増殖するようになっていっても、存在論的に不可能だと思っています。この点で、私は身体やモノの直接性にこだわり続けます。私たちの身体や周囲のモノたち、建築や地形は、永久にデータの集積には還元されないのです。

――第一章の最後でもおっしゃっていた「バーチャルな身体が信じられない」という話とも関連するところですね。

吉見 「信じられない」というよりも、「直接性」が失われることはない、という感じに近いですね。身体がここにあるとは、物理的に広がりをもった空間のなかで相互作用が営まれていること、身体がさまざまな距離感や方向性をもっているということです。そこから具体的で固有な関係が生まれ、言葉や身振りが成立していきます。たとえば舞台上に俳優がいて、台詞を発するとき、彼は舞台上、あるいは客席との間のどこに立っているのか、そしてどこを向いて台詞を発するのか、彼は話しかける相手の目の前にいるのか、横にいるのか、それとも後ろにいるのか、そして相手との距離感が近いか遠いかによって、同じ言葉であってもまったく違うものになっていきます。そのような身体的な関係は、あまりにも即興的で、直接的なものなので、データに代替するのは限界があり、またそれをかなり高度にやってバーチャル空間を構築したとしても、それはやはり複製技術のなせる業で、身体的な現場性は消えるのです。

ですから、先ほどの「二次的定住」の話で言えば、私たちはネット空間で、一次的共同体の外に出て交流することはできるのですが、身体的な全体性においてそこに居住して共同体を組んでいくことができるかといえば、私はできないだろうと思います。しかし都市の成立にとって、そのように共同的に住まうことは不可欠の前提なのですね。別の言い方をすれば、やはりネット・コミュニティと地域コミュニティの間には本質的な違いがあるのではないか。私は、ネット・コミュニティが地域コミュニティや地域を越えて人々がつながる超地域的なコミュニティと連動していく可能性にきわめてポジティブですが、ネットだけで閉じたコミュニティにはどうもあまり興味がわかないのです。

――ネットは現実の社会をシミュレートしたものですが、ネットの設計者たちにとって、先生がおっしゃる距離感や方向性は重要ではなかった、だから省かれてしまったということなのかもしれません。

吉見　しかし、もしそれだけだとすると、その設計者たちが身体感覚的な距離感や方向性も感じることのできるメタバース空間を構築する技術を開発すれば、私が話した限界は超えられてしまうことになりますね。でも、それはちょっと違うのではないか。たとえそのような身体的な方向感覚や距離感までを技術的にシミュレートできるようになったとしても、やはりそのメタバースのなかで疑似的に構築される住まうことや共同性にはより根本的な限界があるのではないか。逆に言えば、今日のネット・コミュニティをめぐる議論は、私たちの身体性や共同性、集合的記憶や歴史についてのかなり表層的な理解を前提に、時代遅れの未来を夢想しているだけなのではないかという気がしてなりません。

実際、ネットがバーチャルに拡張しても、地球自体が有限な物的環境であることは変わりませんから、地理空間での地政学的対立が消えるわけではありません。ウクライナ戦争は現実のウクライナの大地で起きているのであり、ミャンマーの軍独裁も同じです。インターネットはそうした地上の戦争や抑圧に対抗するさまざまな手段を提供しますが、しかし最終的に侵略や圧政と戦うのは人々の共同性であり、さまざまなレジスタンスのコミュニティです。その場合、都市が彼らを守る物理的な壁として機能することもあります。こうしたすべてにおいて、ネットを使っていくのは大地に特定の仕方で分布する人々のコミュニティであって、ネットのなかだけのコミュニティではありません。そうした現実感覚を、「都市としてのネット」の研究は見失うべきではないと私は思います。

「空爆」という究極の「まなざしのメディア」

――吉見先生のメディア研究で、『「声」の資本主義』の主題がオラリティ（音声性）とすれば、『視覚都市の地政学』の主題はヴィジュアリティ（視覚性）です。両者は一対の関係にありますが、後者ではまなざし論にとどまらず、新たに時間論につながる議論が展開されているのはなぜでしょうか。

吉見　見田先生が『気流の鳴る音』や『時間の比較社会学』で鮮やかにおっしゃっていたように、近代の時間は、本当はいくつかある時間の地平のなかのひとつでしかありません。ポストコロニアリズムの議論を背景に『視覚都市の地政学』を書いていたころから、近代的な時間を相対化する無数の複数的な時間が、私たちが生きている世界にも実在している、それはまなざしの政治学から捉えられる空間論的な地平とは別の次元をなすと考えるようになりました。その意味では、まなざし論から時間論への転換というより、両者は交差的に共存しており、私の都市論の空間的次元と時間的次元をなしているのです。

そしてさらに、この複数的な時間と非常に深い関係にあるものとして、記憶の複数性というテーマがあります。私たちの社会には、教科書に書かれてきたような近代国家の歴史には還元されない無数の複数的な記憶が共在している。つまり、客観的な尺度で測られるだけではない多様な「生きられる時間」があって、それらは社会的なものとして存在しているのだと思うのですね。そうした複数的な記憶の時間は、多様な装置に媒介され、繰り返し上演されています。私たちは、たとえば墓地や記念碑、博物館、あるいは昔の民家などから、実際にそこにある「生きられる時間」を感じることができるのです。

——つまり、単なる空間論から時間論への焦点の移行ではなく、まなざされた者ではない他者の時間への問題関心が拡張されたということですね。

吉見　おっしゃる通りです。近代の時間に絡め取られている私たちは、どこかで均質的で直線的な時間概念とその反面としてのオリエンタリズム、つまり直線的な時間軸の先に〈未来〉としての「西洋」や「アメリカ」を措定して、その裏返しとして〈過去〉としてのアジアや「発展途上国」を措定してきた。しかし実は、エドワード・サイードが説得的に示したように、そもそもヨーロッパがこの時間軸を成り立たせていった順序は逆で、彼らは「オリエント」を遅れた他者として措定することで、進んだ自己としての「西洋」を立ちあげていったのです。日本人はその時間意識を全面摂取し、近代的な時間概念から逃れられなくなりました。このように、近代の未来に向かう直線的な時間意識の形成とオリエンタリズムやコロニアリズム、西洋中心主義的な空間意識は入れ子をなしてきたのです。

まなざし論とは、まなざす者とまなざされる者の権力関係を論じたものですが、まなざす者は権力を発動する側で、一方向的です。まなざしは西洋と東洋、あるいは帝国と植民地、そして未来の進んだ側と過去の遅れた側との関係を再演させ続ける仕組みで、暴力的に新しい時間を注入していく効果を含みます。この暴力こそ近代資本主義を成り立たせるものであり、だからこそまなざす者の視界の彼方に他者という闇が生まれるのです。

そもそもこのような関係性の広がりと交差して、それぞれの社会や個人は固有な仕方で秩序づけられた時間を生きてきました。近代は、この多様にローカルで複数的な時間を、フェルナン・ブローデルが論じた「世界時間」に吸収し、統合してしまいました。*10 この統合の最大のモメントとなってきたのが、いうまでもなく資本主義市場経済です。要するに、「時は金なり」なのであって、資本主義の巨大な仕組みによって越境的に「金」がめぐっていくようになり、その「金」にあわせて「時」が一元化されていった。もちろん、国民国家や時間計測や通信の技術やいろいろなものがこの過程を媒介したのですが、根本的には一六世紀から二一世紀までの五〇〇年以上にわたりきわめて単純な「時＝金」という等式が機能し続けたのです。この近代資本主義の時間政治が、帝国主義や都市化におけるまなざしの空間政治と不可分に絡まり合い、今日でも絡まり合い続けていると私は考えています。

――今お話に出た、他者という「闇」は、『視覚都市の地政学』の終章「戦後東京を可視化する――まなざしの爆発とその臨界」でもきわめて重要なキーワードです。

吉見　まなざす側からは見えない闇でも、まなざされる側には闇ではない。だから、本当の闇など存在しないとも言えるでしょう。「闇」と名指しされるものの側から「光」を逆照射するアプローチは、それこそカルチュラル・スタディーズの中心的なテーマですし、都市論やメディア論にとっても非常に重要な方法です。まなざされる側に焦点を当てる、たとえばポストコロニアリズムの視点から沖縄や韓国、台湾の研究をするということも可能であり、そうした研究は重要な蓄積を生み出してきています。

しかし私は、帝国の中心からコロニアリズムを逆照射しようとしてきました。なかでも戦後日本で、最大のまなざしの主体であったアメリカに照準し、何重にも構造化されたまなざしの作用を浮かび上がらせようとしてきたつもりです。私は一九八〇年代末から九〇年代にかけて、東京ディズニーランドについて何本かの論文を書きましたが、ディズニーランドに注目したのは、それが闇の側からの逆照射の可能性を完全に封じ込めるような仕方で作り上げられた「メディアとしての都市」だったからです。ディズニーランドは世界をくまなく照らし出し、その背後に「闇」が生息し続けるのをほぼ不可能にします。それでもなお、その周辺に広がる地域には闇が残りますし、都市としての東京はもっとはるかに複雑なまなざしの重層により成り立っています。この問題を私は最近、ディズニーランドとは一見、まったく対極的に見えるまなざしの政治学に注目して再び探究しました。

——今おっしゃったことを形にしたのが、二〇二二年刊行の『空爆論』ですね。同書は先生の『親米と反米』に連なるアメリカ論であると同時に、「まなざしのメディア論」の究極の分析テーマとしての「空爆」論と言えます。空爆はまなざした瞬間に殺すということですから、『博覧会の政治学』で論じられた「視ることは殺すこと」という議論が、ある種のむき出しの暴力論・殺戮論《さつりくろん》にまで到達したと捉えられます。

吉見　『空爆論』が『博覧会の政治学』の延長線上にあるというのはその通りです。かつてマクルーハンは「矢が手と腕の拡張だとすれば、ライフルは目と歯の拡張である。銃腔《じゅうこう》に旋条をつけ、照準を改良する必要を最初に主張したのが、文字文化性の強いアメリカの入植者であった」と述べましたが、[*11]こうしたマクルーハン的メディア論の観点を徹底していけば、B29もドローンもメディアとして語れるといえるでしょう。

しかし、B29にしろ、ドローンにしろ、空爆するメディアは都市から上空に飛び出しているわけですから、都市のなかに位置づけられません。狭義の都市論であれば、爆撃を受けた都市の人々の経験を分析する「空襲論」となり、実際、空襲被害の研究はすでに多くの歴史研究者によっておこなわれています。しかし、私の考えでは、日本での空襲は「殺す側」、メディア論的には送り手であった米軍からの視点、つまり空爆としても語られなければならないのです。とりわけ空爆は、単に国家間の地政学という以上に帝国のコロニアリズムと深く結びついています。米軍による日本空爆、朝鮮空爆、ベトナム空爆において、空爆する側だったアメリカは技術力の面で圧倒的な優位に立ち、空爆される側との非対称的対照性が見られました。空爆とは、実に植民地主義的なメディア行為なのです。

そして、その空爆するメディアにおいて決定的に重要なのは、空爆機による上空からのまなざしです。Ｂ29やドローンの技術開発のネックは、爆弾を落とすこと自体や空を飛ぶことよりも、上空から地上を精密に可視化することにあったのです。実際、第二次世界大戦末期に日本列島の都市を次々に空爆した米軍機は、カメラ技術を駆使してそれぞれの都市の精密な可視化をおこないました。ベトナム戦争でそうした可視化の戦略が挫折する経験を経て、アメリカはより精密に、よりリアルタイムに、人工衛星で上空からさらに徹底的に地上を可視化する技術を開発します。その技術開発の延長線上で、やがて地球全体を可視化するグーグル・アースのようなメディア空間が誕生してくるわけです。

――アメリカという帝国の側からコロニアリズムを考えること、「他者の時間」や、まなざす側とまなざされる側の関係性については、先生がカルチュラル・スタディーズにかかわるなかで深められた論点ではないかと思います。次章の「文化と社会」で、これらの話を詳しくうかがいたいです。

第三章　文化と社会——祝祭と権力

『博覧会の政治学――まなざしの近代』

中公新書、一九九二年
（文庫版：講談社学術文庫、二〇一〇年）

「世界は、『発見』されつつあった」という印象的な一文から始まる、博覧会の歴史を繙《ひもと》くことで、近代社会を具現化したまなざしのメカニズムを探究した一冊。博覧会とは、世界各地の文化や物品を陳列し見物させるイベントではなく、むしろ分類して展示することで「世界」を構成し、そしてそれを見物しまなざすことで「発見」する上演の「場」である。それゆえ一八五一年のロンドンから始まった博覧会の歴史は、いかに「世界」を編成し、また上演してきたか、というドラマの歴史でもある。イギリスに始まりフランスやアメリカなど西洋の各地で開催され、やがて近代化を急いだ明治期の日本にも導入された博覧会のドラマトゥルギーについて、膨大な資料と独自の上演論から分析する本書は、初期の吉見俊哉の代表作のひとつであり、その引用をさまざまな文献で見かける古典でもある。
とくに消費や見世物などの個人的で具体的な欲望と、帝国主義（インペリアリズム）や国家主義（ナショナリズム）などの集合的で抽象的な権力が、相互に関係を取り結んで博覧会という出来事を生み出していくプロセス、そしてそこに作動するまなざしを義務や強制としてではなく、その反対に人々が自ら望んで欲する体験として世界中に浸透していくプロセスを描ききった考察は圧巻である。吉見の博覧会研究には『万博幻想――戦後政治の呪縛』（ちくま新書、二〇〇五年）もあり、同書は『万博と戦後日本』（講談社学術文庫、二〇一一年）として文庫化されている。

『現代文化論――新しい人文知とは何か』

有斐閣アルマ、二〇一八年

「上演としての文化」という視点から、文化をめぐる学史学説を明解に整理し、ジェンダー、グローバリゼーション、ポストコロニアリズムなどの重要概念を解説したうえで、ポップカルチャー、カラオケ、コスプレ、観光、デジタルアーカイブなどの具体的な事例を分析する方法も示した、学部学生を対象とする教科書。吉見の文体のトレードマークでもある鮮やかな図式化と鋭い要約は、大学生が読むテクストに実にマッチしている。同じシリーズから二〇〇四年に刊行され、韓国語や中国語にも翻訳されたロングセラーの『メディア文化論――メディアを学ぶ人のための15話』の姉妹版だが、本書のほうが上演論と都市論の色彩が強く、吉見文化研究の入門書として読むこともできる。

『アフター・カルチュラル・スタディーズ』

青土社、二〇一九年

日本におけるカルチュラル・スタディーズの導入と展開において大きな役割を果たしてきた吉見による、「文化」そのものの政治性を根本から問う学としてのカルチュラル・スタディーズを論じた、一九の論考を集成した学術書。四半世紀近い吉見文化研究の軌跡が記録されており、文化理論をはじめとする多様なテーマをめぐる論考が並ぶが、なかでもエピローグの「劇つくりの越境者――追悼・如月小春」は貴重である。カルチュラル・スタディーズを正面から論じた章ではないが、なぜ吉見が都市を中心とする数々の研究に取り組み、そして上演論から問い続けるのかが、突如として畏友を失った吉見の、血の滲《にじ》むような言葉で記されている。

カルチュラル・スタディーズと場の文化政治学

――この章のタイトルは「文化と社会」ですが、文化というのは非常に広い概念ですし、極端な話、先生の仕事はすべて文化にかかわるものだと言うこともできてしまいます。そこでまず、先生とカルチュラル・スタディーズのかかわりについてうかがっていきたいと思います。というのは、先生が日本のカルチュラル・スタディーズを牽引《けんいん》してきたことと実際の研究には、ズレというかギャップがあるように見えるのです。第二章でお聞きしたメディア研究がそうであったように、カルチュラル・スタディーズもまた、いろいろないきさつがあって「演者」になったということでしょうか。

吉見　「吉見のやっていることはカルチュラル・スタディーズと言いながら、実はそうではないのではないか」という批判ですね。なぜそういう批判が出てくるかというと、世間的なカルチュラル・スタディーズの受け止められ方と、私が考えているカルチュラル・スタディーズの概念が少し違うということなのだと思います。

――どこがどのように違うんでしょう。

吉見　教科書的な定義では、カルチュラル・スタディーズとは「文化」と「政治」の関係を問う批判的な知の営みです。ここまではいいとして、問題はそこから先です。世間の通念では、カルチュラル・スタディーズにはふたつの傾向があると思われています。ひとつは、ポップカルチャーやサブカルチャーについての知の総称としてのカルチュラル・スタディーズです。マンガ、アニメ、ネット上のサブカルチャー、コスプレなどのパフォーマンスやファンカルチャーを分析する研究が大変盛んになってきましたね。

他方、こちらは最近あまり流行《はや》りではないかもしれませんが、もうひとつの流れに「抵抗の学」としてのカルチュラル・スタディーズという理解があります。この流れに自分を位置づける人々からすると、ポジショナリティ、つまり、誰がどこから何を語るのか、支配的なものをどう批判していくのかが重要です。その流れで、マイノリティ、サバルタン、ジェンダーやポストコロニアルに照準した活動や研究が活発化してきました。*1

そして私自身は、一九九〇年代後半から、台湾や韓国、香港《ホンコン》、中国、インド、インドネシアなどのアジア各地でカルチュラル・スタディーズを展開する同世代とのつながりが強くなり、彼らと共同で「インターアジア・カルチュラル・スタディーズ（Inter-Asia Cultural Studies）」という英文ジャーナルを発刊し、数々の国際シンポジウムも開催してきました。その一方で、国内では若手研究者やアクティビスト、アーティストなどを巻き込んだ「カルチュラル・タイフーン（Cultural Typhoon）」というトランスナショナルな学会を開いてきました。それらのジャーナルや学会は、カルチュラル・スタディーズのすべての可能性を包含する広場です。*2

――しかし、先生のカルチュラル・スタディーズはポップカルチャー研究でもなければ「抵抗の学」にも見えません。

吉見　はい。私はポップカルチャーの最先端のことはあまり知らないし、外から見ればあまり反体制的にも見えない。むしろアカデミックには、体制の中心にずっといたではないかということになる。つまり、カルチュラル・スタディーズにとって、ポップカルチャーやサブカルチャーを扱っていることや、政治的に反体制であることがまず何よりも重要ならば、私はあまりカルチュラル・スタディーズ的ではないということになりますね。逆に言えば、先ほどの批判的な質問の前提になっているのは、まさに今述べたようなカルチュラル・スタディーズについての理解なのだと思います。ですので、今回はそのようなカルチュラル・スタディーズ理解を相対化していくことを目指しましょう。

結論から言えば、私はカルチュラル・スタディーズとは、さまざまな文化、つまりテクスト行為が営まれる場の文化政治学なのだと思っています。つまり、カルチュラル・スタディーズの自己規定は、ポップカルチャーやサブカルチャーを扱うという研究対象からくるわけではないし、反体制的に振る舞うというイデオロギー的な立場性からくるわけでもありません。カルチュラル・スタディーズがしばしばポップカルチャーやサブカルチャーを扱うのは、それらがある時期まで正統的な人文知の秩序から排除され、そこにある重要な文化政治学的含意があったからですし、カルチュラル・スタディーズがしばしば反体制的な振る舞いをするのは、そもそも文化が運動論的な次元を内包しているからです。

アカデミズムのなかでのカルチュラル・スタディーズのこの位置は、ある意味で、国家学からはみ出すように自己主張を始めた二〇世紀初頭の日本の経済学にもあったでしょうし、それらのどちらとも、また伝統的な哲学や歴史学とも異なる知として擡頭《たいとう》した戦後日本の社会学にもあったでしょう。しかし今では、経済学も社会学も、どちらかというと制度的に与えられた言説体制のなかで自己防衛を重ねています。他方、フランスならば哲学が、アメリカならば歴史学がある時期まで担ったようなカルチュラル・スタディーズ的批判性が、今日でもこれらの学問に保持されているかも怪しいところです。

そうしたなかで、私は文化をそのカテゴリーによってではなく、それが演じられていく場のポリティクスの側から捉え返していくことが、優れてクリティカルな知的実践としてのカルチュラル・スタディーズなのだと考えてきました。[*3] たとえば、実際にはカルチュラル・スタディーズに出会う前ですが、『博覧会の政治学』はいわゆる博物館学の仕事ではなく、そうした知の根底を突き崩そうとしています。『親米と反米』も、いわゆるアメリカ研究の一部にはなりえないでしょう。『大学とは何か』（岩波新書、二〇一一年）でも、大学の存立根拠を問い返していますから、これもいわゆる高等教育研究には収まりません。同じことが、私がしてきたメディア研究にも言えて、私は個別的な領域としての「メディア文化」について論じようとしてきたわけではないのです。むしろ、それらの個別的な「文化」が成立する前提である出来事の水準で、その出来事の場に注目しようとしてきたのだと思いますし、それがカルチュラル・スタディーズにとって最も大切なことだと考えてきました。

――先生が場を主に分析されてきたということは理解できるようになってきたのですが、それがどうカルチュラル・スタディーズに結びつくかというところが、まだよく見えてきません。

吉見　旧来的な意味での社会学やメディア研究は、必ずしもそうした場に注目することを第一義的に重視してきたわけではありません。ゲオルク・ジンメル的には、社会学にとって最も重要なのは社会関係の形式と内容ということになるでしょうし、エミール・デュルケーム的には集合的な次元で成立する社会的事実ということになるでしょう。メディア研究ならば、メディアの技術論的な次元で問いを立てる場合も、メッセージやコミュニケーション、オーディエンスの受容を問題にすることもあるかと思います。ただ、これらのすべてのアプローチと私の問題関心の原点との間には距離があります。私は、大衆文化的諸ジャンルの分析の総和がカルチュラル・スタディーズだとは必ずしも思っていませんし、それを社会的諸関係や社会システム、コミュニケーション過程、ファンやオーディエンスの反応の側から説明することがカルチュラル・スタディーズなのだとも思っていないのです。

大雑把に言えば、今申し上げた前者は、大衆文化的諸領域も取り込むようになった人文学の諸領域（映画研究、マンガ研究、ポピュラー音楽研究等々）ということになるでしょうし、後者はピエール・ブルデューやハワード・S・ベッカー、あるいはニクラス・ルーマンを用いて文化事象を説明する文化社会学ということになるでしょう。カルチュラル・スタディーズは、当然ながらこのいずれとも重なりを含みますが、一番肝心な部分は、私はこのどちらとも異なるはずだと思います。なぜならば、人文諸学の場合は、やはりテクスト自体が重要です。人文学はテクスト分析の方法を徹底して深めてきたと思います。他方、社会学はどうしてもテクストをシステムや機能、階級、ジェンダーといった概念で説明したがります。

しかし、文化が営まれている場には、このどちらにも完全には回収されない出来事的な次元、みなさんがお好きな言葉ではパロール的な次元がある。そのパロールをエスノグラフィックに記述していく人類学的実践にはとても価値があると思いますが、私の関心はもうちょっとコンテクスチュアルで、その文化が生成していく出来事の場そのものにおいて働くポリティクスに向けられてきました。ですので、広くはそれが人文学でもあり社会学でもあることをまったく否定しないのですが、しかしその中間地帯にカルチュラル・スタディーズはやはり存在しうるのではないか。そうした中間的な位置だからこそ、ポップカルチャーやサブカルチャーも受け入れやすいし、なかなか支配的な学問秩序には収まらないことになっていく。別に私は「反体制的」であることに何か特別な価値があるとは思っていないのですが、アカデミズムのなかで結果的にそのような位置に追いやられていくことは、カルチュラル・スタディーズの可能性なのだと受け止めてきました。

上演論として文化を考える

――先生が場の分析をするときは、いわば劇場の舞台装置というか、文化の仕掛けにこそ、主な関心があるわけですね。

吉見　舞台装置にはたしかに関心がありますが、しかしそこに関心の焦点があるわけではありません。先ほどから繰り返しているように、私の関心の焦点はあくまで出来事が生起する場のポリティクスです。しかしそれは流動的で、ドラマそのものというか、パフォーマティブなものなのでなかなか後からでは捉え難い。ですからいくつか手掛かりが必要で、その手掛かりの最も有力なひとつが舞台装置なのです。なぜならば、舞台装置はフィジカルなものですから後に残されます。ミシェル・フーコーの言う一望監視装置は舞台装置ですが、これは規律・訓練化のための装置です。私はもっと表現的というか、人々が集合的に近代のドラマを嬉々《きき》として演じていく、その舞台装置に目を向けてきました。

――でも、先生は個人の内面やパフォーマンスについては、ほとんど記述しないですよね。

吉見　個人の内面ですか。「内面」って、いったい何ですか？　そんなものをそもそも前提にできるのですか？　上演論的アプローチを選択した瞬間に、そもそもそんな「内面」などという怪しげなものから出発することはやめているのですけどね。

——たとえば、ある場においてある行為をする人、つまりパフォーマンスをする個人は、ときに矛盾した行動や非整合的な発話をすることがありますし、それは個々人だけでなく集合のレベルでも生じると思います。エスノグラフィという方法の価値や面白さは、そうした非合理的で矛盾したパフォーマンスを具体的かつ文脈的に把握しようとすることにあると思うのですが、吉見先生の研究ではマクロな図式がクリアーに提示されることが多い反面、ミクロで具体的なパフォーマンスや個々のパロールが詳細に分析されることはあまりないと思います。

吉見　それは、わかります。「内面」にしたって、社会的諸作用の効果として、個々人や集団にあたかも「内面」が成立しているかのような社会的リアリティが生まれているということはありうるでしょう。また、そうした「内面」なるものが個々のパフォーマンスを生み出しているかのように見えることもあるかもしれません。しかし、人間の「内面」を、そもそも社会を語るときに出発点として前提にできるとは私は思いません。

そうすると、今、おっしゃられた非合理で矛盾したパフォーマンスはどこから生まれてきているのか。それぞれの個人の振る舞いのなかに矛盾や非整合性が生じるのはなぜなのか。もちろん、それらの矛盾や非整合性を丁寧に記述することは大切なのですが、それを個人の「内面」の葛藤などから説明することには賛成できません。

——この点は先生と考え方が違うようですので、質問の仕方を変えます。見田先生は『近代日本の心情の歴史——流行歌の社会心理史』（講談社学術文庫、一九七八年）の「学術文庫版のためのあとがき」で、「歴史的な社会の総体性を把握するということと、人間のこころの深奥を理解すること」というふたつの問題意識をもっていたと書かれていますが、先生は「歴史的な社会の総体性」は考察しても、「人間のこころの深奥」には分け入っていかないように思います。なぜでしょうか？

吉見　見田先生がおっしゃっている「歴史的な社会の総体性を把握する」ことと「人間のこころの深奥を理解する」ことの関係の背後には、マルクス主義と実存主義の関係がありますね。ここでいう実存主義とはサルトルのそれ以上に、より広い意味で実存的な行為主体としての人間を問う立場であり、それは個々の人の生から世界や歴史を問うことにつながります。その実存にかかわる「こころの深奥を理解する」とは、時空において限られた個別の生の一回性を理解することに他なりません。その個別の生の一回性は非常に固有的なものですが、それは歴史社会的な総体性のなかにしか存在しない。見田先生はそのことを、たとえば代表作のひとつである「まなざしの地獄」で、一九六八年に連続殺人事件を引き起こし、獄中から手記を発表したN・N（永山則夫）を論じることで示したのです。[*4]

文化という問題設定は、歴史社会的な総体性と人間のこころの深奥の中間に現れるものであり、実存的な一回性は、上演論的にはパフォーマンス、演技そのものです。そして、歴史社会的な総体性は、その際には劇場や舞台の設定ということになるでしょう。両者の中間に、ある種のドラマとして文化が現れるということです。

しかし、この「人間のこころの深奥」と「内面」は同じものなのか？　見田先生が「人間のこころの深奥」という場合、その「深奥」は、必ずしも個人の「内面」として考えられているのではないのではないか。それは意識というより前意識的な情感や情念、感覚的なもので、しかも個人というよりも類的な「こころ」を捉えているのではないかという気が私はします。たしかに、そのような意味での集合的で無意識的な「こころの深奥」を十分に生々しく記述できていないのは、率直に言って私の力量不足です。ただ、繰り返しになるけれども、私は個人の「内面」の理解から出来事の考察を出発させるべきではないと思っているのです。マックス・ウェーバーはとてつもなく優れた社会学者ですが、その社会学の出発点に私は必ずしも同意していません。それは、私が「新劇」に代表される近代劇のドラマトゥルギーを受け入れる気になれないのと同じことです。

ですから、私の関心は、個々の演技をしていく俳優の心理ではありません。俳優の心理描写はしないことにして、個々の俳優であれ、コロスのような群集であれ、登場人物たちが歴史の固有で一回的な状況において、さまざまな環境的条件や異なる立場の人々と交渉しながらパフォーマンスを演じていく。そこに生じる集合的な心のダイナミズムに私は関心をもってきました。個人の「内面」や「心理」など、仮にあったとしてもそうした集合的な過程の効果にすぎないと思っています。だからこそ、個人の心理から出発するのではない仕方で、私は都市における群集劇のドラマトゥルギーを考えたいと思ってきましたし、まさにそのような集団性の水準で、抗争、衝突、ヘゲモニーやネゴシエーションといった、カルチュラル・スタディーズのテーマを考えようとしてきたつもりです。

——上演論的に言うと「台詞」に相当する、たとえば日記や手記や、あるいは発話やしぐさのような個々のテクストを分析しないのは、苦手だからというわけではないんですね。

吉見　もちろん台詞は重要で、個人の生を通じて発せられた数々の語りを分析することは必要です。日記や手記、発話やしぐさも当然ながら分析すべきです。しかし、私がその先に見据えたいのは、その書き手の心理や思想ではありません。その意味で、かなり徹底して私は心理学的な人間でも思想史的な人間でもありませんね。

今、批判を受けたように、手記や発話といったミクロなテクストを扱いきれていないのは私の力不足ですが、もしもそうした作業を本格的にするとしても、個々の台詞やそれを語った人物の心理や思想が重要なのではなく、それらが発せられた状況や文脈が重要なのだと私は思います。その台詞がいかなる場面で語られたのか、その人物は、誰に対し、どういう方向を向いて語っていたのか、そこにどういう舞台装置が置かれ、誰がそれを目撃していたのかが問題なのだと私は思います。

近代劇の信奉者たちの思い込みとはまったく異なり、演劇の上演で重要なのは、台詞に何が書かれていたかではなく、その台詞がどのような場面でいかに語られるかです。台詞に書かれていることの中身で言ったら、ベケットの『ゴドーを待ちながら』なんて、わけがわからないようにも思えます。でも、不朽の名作なのですね。シェイクスピアにしても、古代ギリシャ悲劇にしても、能や歌舞伎のような伝統芸能でも、何千回と演じられる台詞が、その都度違って聞こえるのは、誰がどういう舞台で、どういう演技をするかで、そのひとつひとつの台詞の作用がまったく変わってくるからです。私は同じことが、私たち自身の日常生活でのパフォーマンスにも言えると思っています。

そういうわけで、私自身の力量不足を棚に上げれば、先ほどお話しされた見田先生の言う実存的な生の概念、つまり「人間のこころの深奥」は、舞台上の演者が非常に危機的な場面に立たされたときに、瞬間的な跳躍としてある演技をしていく、そのようなときの心の動きのことです。それは、きわめて状況的、瞬間的なものでしかありえない気がします。そして私が上演論的に考えようとしているのも、ある固有の歴史的な場において、一回性の演技がいかにありうるか、仕掛けられた舞台装置や与えられた台本を演じながらも、上演そのものを通じて解放がいかに可能になるのかということです。よい俳優が素晴らしい演技をしたとき、そこにはすごく解放的な時空間が現れると私は思っています。

――今の話は吉見先生の一連の研究を考えるときの、とても重要なポイントですね。先生の上演論的な問題意識がどこにあり、それがどこへ向かっているのかが、理解できるような気がします。

吉見　盛り場、テーマパーク、米軍基地、それから大学でもいいですが、ある場のなかにいる人は、そこがすべてだと思って役を演じていますが、本当はそこにある舞台は、ある時代のある状況のなかで可能になったものです。ですから、その場にいる人々のリアリティはリアリティとして受け止めつつ、それを歴史的・地政学的に相対化していくことが必要です。
ところが、ときとしてそこで演じられるドラマは、その前提となっていたマクロな文脈や歴史的条件を組み替えてしまいます。ドラマの上演では、コンテクストとパフォーマンスの関係は必ずしも一方向的ではない。パフォーマンスは、それ自身のドラマトゥルギーを内包していると私は考えています。マクロな文脈に条件づけられた場にいる人々が、どういうリアリティのなかで自分を演じていくのか、しかしそれがときとしてマクロな文脈自体をどう変容させてしまうのか、それが問題です。『ハムレット』には劇中劇が幾重にも出てきますが、歴史はそうした劇中劇の複合体で、内と外が反転することが稀《まれ》にはあるのです。

——それが、繰り返しおっしゃっているミクロとマクロをつなぐドラマトゥルギーの研究ということになるわけですか。

吉見　はい。上演論はたぶん、ミドルレンジの方法論なのです。

文化は農業モデルである

——先生のカルチュラル・スタディーズについて、もうひとつうかがいたいことがあります。

先生は文化についていろいろ語っているようで、実は文化そのものを問うてはいないのではないかという印象を受けるのですが。

吉見　そうでしょうか。質問の意味がよくわかりませんが、その場合、「文化」とは何だと思っていらっしゃるのですか？　そこをまずはっきりさせないと、私が「文化」を問うているのか、問うていないのか、ということの答えは出てこないと思います。

――いやいや、ケンカを売っているわけではないのですが、先生は文化をどのように定義されますか。

吉見　いやいや、ケンカを売ってほしいのです（笑）。たとえば、「日本文化」だとか「中国文化」だとか「西洋文化」だとかよく言われますが、そういう本質主義的な形で国や地域ごとに文化の祖型のようなものがあるとすることに私はきわめて懐疑的です。そこで言われている「文化」は、私が考えてきた文化とはまるで異なります。ですから、そのような意味では、私は「文化」を語ることを可能な限り拒否してきました。

一方、文化をさまざまなコンテンツの集合体として捉える見方もあります。たとえば、アニメ文化だとかネット文化だとか映像文化だとかですね。あるジャンルのコンテンツとその生産者、それを消費するオーディエンスまでを含めたコミュニケーション領域を分析する手法が、「文化」の研究と呼ばれていきます。アニメ文化研究も映像文化研究もネット文化研究もそれなりに確立していますね。この場合、非常にしばしば「文化」はメディアのカテゴリーと一体化することになります。そして、そのようなカテゴリーのなかに自分を位置づけて「私は○○文化の研究をしています」と説明すれば、多くの人は安心するわけです。これは、研究がアカデミックな体制のなかで飼いならされていく仕組みです。

以上のふたつの意味での「文化」は、私の研究にほとんど出てきません。私は、第一のそれはイデオロギーであり、第二のそれはジャンルであって、文化の概念と必ずしも対応しないと思っているからです。むしろ、「カルチャー culture」という語は「カルティベーション cultivation」からきている、つまり何かを「耕す」ことです。その意味で、「カルチャー」と同じ語源で最も近い概念は「アグリカルチャー agriculture」、つまり農業です。「文化」とは、一種の農業のようなものなのであって、「土」を耕して「作物」を生むのが農業、「人」を耕して「作品」を生むのが文化だとも言えます。当然、農業でも文化でも、作物や作品が生まれるために最も重要なのは「耕される場」です。作物や作品自体は、使用価値（味や質）の面でも交換価値（価格）の面でも結果にすぎず、結果が導き出されてくる前提となる「耕される場」

や「耕すプロセス」が決定的に重要なのです。
ところが日本では、この文化の土壌性についての理解がものすごく弱い。そのひとつの理由は、「カルチャー」を「文化」と訳してしまったこと自体にあるかもしれません。なぜならば、「アグリカルチャー」との親近性が明白な「カルチャー」とは異なり、「文化」は伝統的には「武」に対する「文」という位置づけで語られてきたからです。ですから日本では、「軍事」と結びつく「武」に対し、「文」はしばしば「平和」と結びつく。そしてその「文＝文化」に、国家が関与することへの拒否感が強いのです。
ところが戦後、人々の文化的な営みを方向づけ、ときにはそれを破壊もしてきた最大のモメントは、軍事というよりも経済です。実はこの経済、つまりエコノミーとカルチャーの間には歴史的に長い関係があるのですが、それが曖昧にされたまま、文化はある時期まで経済から分離され、ある時期から経済に従属していきました。本当は、個々の文化作品の経済的価値云々とは別に、文化の土壌性には経済的価値だけに還元されてはならない次元がある。大地に公共的な価値があるように、文化にも根本的に公共的な価値があるのです。[*5]
――文化＝耕作であるならば、耕作する場をもたない文化は存在しないと言えますが、ここで言う場とは、先生にとってあくまで具体的な空間なわけですね。

吉見　そうです。もちろん作物の良し悪しが農業にとって重要なように、作品、つまりコンテンツのレベルで文化を語ることも重要です。しかし、私は全体としての「文化」にとって最も重要なのは、それぞれの「作品」の良し悪し以上に「土壌」のレベル、つまり文化生産の基盤をなす社会的な場や制度的な仕組み、人を耕す場である学校や都市、劇場やミュージアムだと思っています。これらは「文化」の外側の仕組みなのではなく、今、お話ししてきたような意味で「文化」そのものなのです。

こうした「場としての文化」について私が問うてこなかったとは言えないのではないでしょうか。むしろ、私は『都市のドラマトゥルギー』から最近の『東京裏返し』や『東京復興ならず』、それに『敗者としての東京――巨大都市の隠れた地層を読む』（筑摩選書、二〇二三年）にいたるまで、一貫して「場としての文化」を問うてきた気がします。そしてこの「文化」は、かなりの程度まで具体的な空間です。最近は、文化もまるでDX（デジタル・トランスフォーメーション）が可能、つまりデジタル空間に移行可能であるかのような議論が盛んですが、「メタバース」をはじめバーチャル空間に文化の場がトータルに移行できるとは私には思えません。

――メタバースが場ではないということの賛否はさておき、先生がそう考えるということは、今までのお話からも理解できます。

文化を見る「鳥の目」と「虫の目」

――これまでの話を先生の第二作の『博覧会の政治学』にあてはめると、たとえば博覧会という場に集う人々がどのような経験をしたかということを、いわば「虫の目」で丹念に追っていくアプローチも可能ではないかと思います。しかし、博覧会を論じる先生の視点は常に「鳥の目」で俯瞰《ふかん》している、それはなぜですか。

吉見　まず、『博覧会の政治学』に限定して答えるならば、今の批判は必ずしもあてはまらないのではないかという気がします。資料的な制約が大きいのですが、それでもあの本のなかで、明治前期の新聞や雑誌の記事をかなり探索し、当時の人々が展示された美術品としての仏像を一生懸命拝んだり、賽銭《さいせん》を投げたりしていた事象に触れていますね。それから高村光雲が、出品作が博覧会で優秀作に選ばれても、その選ばれるということの意味を理解できなかった逸話にも触れています。博覧会はその程度ですが、同じころに書いていた明治天皇の地方巡幸や明治の伊勢参りについての論文では、もう少し「近代」に対する民衆の反応がヴィヴィッドに出てきます。[*6]私は、日本であれ他の社会であれ、前近代の人々が最初に近代と触れていったときの反応が大切だと思っていますから、そうした反応はできるだけ丁寧に調べてきましたが、資料的制約から限界があったかもしれません。

ただ、念のために言い添えておけば、私は一般論として「鳥の目」に対して「虫の目」を対置することに有効性があるとは思わないのです。誤解だったら謝りますが、お話を聞いていると、「虫の目」だとか「パロール」だとかおっしゃっていて、そこに自分の視点を置くことに何か特権的な価値があると思われているのではないかと疑いますが、私はそのようには思いません。近代に、そしてその権力の作動に外部はないのです。「虫の目」に寄り添うことによって何か近代の外や権力の外からの思考が可能になると考えているのだとしたら、それは大いなる錯誤です。そんなことはありません。近代はやはりとてつもない制度で、限界まで拡張を続けるその巨大な制度に地球上の諸社会が遭遇していく。この数百年間に及ぶ歴史のとてつもなさや複雑さを捉えていくのに、今、言われた言葉で言えば「虫の目」の視点が必要なのだと言うのでしたら、その意見に私は賛成です。

ですから、問題は「近代」と「鳥の目」と「虫の目」、この三者の関係にあります。というのも、実は近代社会そのものが「鳥の目」と「虫の目」の両方を内包し、それらを同時並行的に発達させてきたのです。つまり、「鳥の目」だとか「虫の目」だとかいう概念そのものが、私たち自身が属している近代社会の文化政治的な産物であり、その地政学的なコンテクストから切り離して中立的に論じられるような概念ではないのです。むしろ、そのような思考のフレイム自体、まさしく近代の擬制のなかにあるのだと私は思います。

実際、近代都市のなかでの「鳥の目」の加速度的な発達には目覚ましいものがありました。博覧会をはじめ、動物園や博物館、百貨店、映画からテレビ、インターネットまでのメディアを通じ、人々はその身体の内部に「鳥の目」を身につけ、そのような「目」で世界を思考するようになっていきました。ですから、博覧会を「鳥の目」で見るということにおいて、観察者である私のまなざしと、対象である博覧会自体が発達させてきたまなざしは、ある意味では表裏をなしているのです。私という人間の思考法は、根本的に近代化の所産なのであって、その外に私が立っているわけではない。そのような近代によって生産されたまなざしの主体として、私は近代のまなざしを批判しているのです。

同じことは、「虫の目」にも言えます。「鳥の目」であろうが「虫の目」であろうが、私たちが社会をまなざし、語っていくパラダイムは、歴史の外側には成立していません。近代化という巨大な流れに対する無数の多様でささやかな反応が記録されていくようになったのは、ジャーナリズムや文学、写真、郵便システムや文書館といった近代的諸制度の結果です。「虫の目」を想像する思考法自体が、近代のパラダイムの内側に成立してきたものです。ですから私は、問題のポイントは「鳥」か「虫」かにあるのではなく、「近代」の重層性そのものにあると考えています。私が学生時代に影響を受けた多くの著作は、そのような重層性を含んだ制度としての近代を問うていました。フーコーの権力論は、複雑な重層性をはらみつつ、くまなく一貫して貫徹していく近代とは何かを問うていたと思います。

――パノプティコンですね。フーコーが著書『監獄の誕生』で論じた、近代の権力は抽象的ではなく具体的に身体に働きかけ、人々の外側からではなく内側から支配する、という。

吉見　第一章にも記した通り、監獄のような規律・訓練的な権力の場を、近代の中心的な装置として論じたフーコーのことは、すでに多く論じられてきました。ただ、フーコー的な規律・訓練のまなざしがどれほど深く現代社会に浸透しているかを議論するとき、監獄や学校、工場といった場所ばかりが取り上げられることに、私は違和感がありました。博覧会や運動会、オリンピックやデパートといった、消費社会の祝祭的な場にもフーコー的な規律・訓練的な権力が作動している、なかでも博覧会は、最もそのことを表している場所だと考えて考察したのが

『博覧会の政治学』だったわけで、あの本は、『監獄の誕生』の祝祭版です。[*7]

――なるほど。しかし、『博覧会の政治学』には、フーコーが論じた工場や監獄と違って、そこに集い合う人々の身体を規律し訓育するための具体的な装置や、特徴的な仕掛けをめぐる分析がゼロとは言いませんが、希薄です。確認ですが、「自分の研究はすべて都市論だ」とおっしゃったことを考えると、『博覧会の政治学』は身体をめぐる権力の具体的描写が弱いという点で、ドラマトゥルギーにはつながらないような気がするのですが。

吉見　工場や監獄と違い、博覧会は人々を強制的に閉じ込める場所ではありません。博覧会のような祝祭的な場は、人々が欲望して自ら行くところで、人々はそこで自由に観覧します。その意味で、博覧会はミュージアムや動物園に近く、監獄とは大きく異なります。そして、そこでの人々の振る舞いを条件づけていくのは、都市の広場や祭りのように群集のなかでの身体相互の関係でもなければ、後の映画館のように暗闇のなかでのまなざしと幻想のイメージとの関係でもありません。博覧会で重要なのは、この祝祭的な場にやって来た人々のまなざしの前で、地方の産物であれ熱帯からの動物であれ植民地からの先住民であれ、すべてがモノ＝記号化され、近代的な世界空間のなかに配置されていくことです。

要するに、世界がそこではモノ＝記号化されるのです。博覧会を近代の祝祭＝規律・訓練化される場として記述することの要点は、このモノ＝記号化のダイナミズムにどこまで迫れるかです。都市において近代を問うという基本的な問題構制は同じでも、対象の何が面白いと思うかは、その対象の近代世界のなかの位置によって異なるのだと思います。

――では、博覧会は「虫の目」で分析する対象ではないということでしょうか。

吉見　先ほども申し上げたように、そのまさに「虫の目」と「鳥の目」という二項対立も近代の効果なのです。もちろん、それを前提に、博覧会のなかの「虫の目」の作動を考察していくことはできます。今しがた申し上げたことからして、博覧会における「虫の目」というのでしたら、その最も注目すべきは、博覧会の展示を見に来た人々よりも、むしろそこに展示された側のまなざしでしょう。たとえば、博覧会ではしばしば植民地の先住民が人間動物園のように展示されていました。彼らは自分たちに注がれる俯瞰的なまなざしをどう受け止めていたのか。その「鳥の目」と「虫の目」の間で交わされる絶望的な緊張やすれ違いは十分に探究する価値があると思います。

さらに、博覧会に展示された仏像や工芸品など人間でないもの、つまり人間の制度の側から組織された世界を、「非人間」の側から見返す作業にも関心があります。一例を挙げれば、地方の村の人々が拝んできた仏像が、明治政府の命令で上野の博覧会で展示されるということがあったのですが、そのアイデンティティの変化を仏像の側から見返していく作業が可能なはずです。『博覧会の政治学』を書いたときには、ここまで考えられていませんでしたが、今はこのような主体と客体が反転していく可能性に興味があります。

このように、博覧会のいくつかの事象は、制度の産物でありながら逸脱的で叛乱《はんらん》的ですらある可能性を示唆します。まさにこの問題を、私は博覧会研究と並行的に進めていた運動会や伊勢参り、天皇巡幸の研究で考えていました。私にとって、これらは一体のもので、そこでは村祭りと運動会、抜け参りと伊勢参り、生き神信仰と天皇巡幸の関係が、それぞれ重層決定的な問題となるはずでした。そして、その抜け参りと伊勢参りについて調べたことの一部は、最近の『五輪と戦後』でも、明治大正期の紡績工場の女工たちが工場から集団で逃走していく際のハビトゥスの問題として論じています。

「閉塞」は日本だけの問題なのか

――先生が、カルチュラル・スタディーズの国際的で領域横断的なメディアとイベントである

「インターアジア・カルチュラル・スタディーズ」や「カルチュラル・タイフーン」などを通じて、東アジアに知的ネットワークを構築された二〇〇〇年代から、東アジアで吉見先生の著作が翻訳されるようになりました。それもかなりの冊数です。たとえば韓国では、今ではほぼリアルタイムで、先生の本を読むことができます。

吉見 東アジアで吉見俊哉が消費されているということですね。私としては、どのような形であれ、自分が消費されていくのは大歓迎です。[*8]

――その理由のひとつとして挙げられるのは、先生が東アジアのさまざまな文化現象に作用する「戦後冷戦及びポスト冷戦を通じたアメリカのヘゲモニー」という歴史性に注目し、日本と東アジア諸国の文化研究がそれを共通の問題として「脱国民主義的であると同時に自己批判的」(『アフター・カルチュラル・スタディーズ』)に共有するための方法論や理論的な視座を提供されたからだと思います。

吉見 私にとっては、もともと「アメリカ」が問題だったのです。戦後日本とは何かを考えていこうとすると、どうしてもアメリカという存在を避けて通れない。そしてそれを考えていくと、戦後のアメリカ化が戦中までの軍事帝国主義と連続的なことに気づいてくる。そのような思考を重ねていくと、さらにそれが、アジアにおける権力や支配、近代の地政学の総体につながっていると考えるようになります。つまり歴史は、決して日本列島だけで閉じてはいない。マクロには東アジアとアメリカが連続的で、ミクロには渋谷や原宿、六本木で遊ぶ若者たちとソウルの梨泰院《イテウオン》で遊ぶ若者たちが同じ地平を生きている。その重なりは、フィリピンやタイ、インドネシアにもつながっているし、グアムやハワイ、カリフォルニアやフロリダにもつながっている。このような思考は、東京ディズニーランドを単にジャン・ボードリヤール的な消費社会のシミュラークルとして捉えるのでは不十分だと思い始めたときに始まっていました。消費社会は、その根底にコロニアリズムやアメリカン・ヘゲモニーの問題を、日本でも、韓国でも、東南アジアでも内包しているのです。[*9]

――たしかに東アジアのアカデミアにとって、先生のポストコロニアルおよびアメリカ化をめぐる議論は、共通の日常意識をもつ他者としての日本との同時代的な対話を可能にするものだったと思います。しかし、一方で気になることもあります。たとえば、『平成時代』（岩波新書、二〇一九年）など近年の先生の著作を読むと「勃興するアジア　取り残される日本」などと、しばしば東アジア諸国の成長と日本の衰退が対比される形で言及されています。このような少しナイーブな対比を強調することは、日本も含めた東アジアの諸地域が同時に抱えている問題群に対する批判的な射程を、結果として縮めてしまうことにはならないでしょうか。

吉見　わかります。海外からの目で、その批判はありえますね。ただ、私は日本社会のなかでいろいろ実践的な努力をしてきた人間であり、そこからここ十数年の日本にかなり絶望してもいます。その絶望感が、『戦後と災後の間――溶融するメディアと社会』（集英社新書、二〇一八年）や『平成時代』にかなり強く出ているかもしれません。それらの記述は、基本的に日本社会のなかに向けられたものです。

実は、『平成時代』では面白い話があります。もうすぐあの本の中国語（簡体字）版が出るのですが（二〇二三年六月刊）、中国の出版社は最初、メイン・タイトルを『失敗の博物館』だったかな、「日本がこんな失敗をしてしまった」ことを強調する題名にしたがったのですね。私は、出版社が提案するタイトルをあまり拒否しないのですが、これはさすがに拒否し、『平成時代』というもともとのタイトルに戻してもらいました。私は、平成時代の日本の苦悩は、これから東アジア全体が経験していく苦悩の先駆けだと思っています。でも、こういう視点は、今の中国には受け入れられませんね。中国からすれば、「失敗」は日本だけの話に限定させておきたい。あの本では、私自身の絶望感から、失敗が日本固有のものであるかのように書いていますが、本当は、あれは東アジア全体の未来なのです。

つまり、日本の閉塞を論じる際、二通りの書き方があるわけです。ひとつは、東アジアのなかで日本だけが底なし沼のように閉塞していっていると捉え、それはなぜなのかと考えることです。もうひとつは、この閉塞感は実は日本だけで起こっていることではない。韓国でも中国でも東南アジアでも、これから同じことが起こっていく。それぞれが閉じていくという、グローバル化とは正反対の動きがこれから強まっていくという認識です。

――日本と東アジア諸国の有機的なつながりを考えれば、日本が閉塞しているのに東アジアの他の国がグローバル化していくということは、まず無理ではないですか。

吉見　ですから、大きな歴史の流れでは、閉塞していくのは日本だけではなく、世界全体なのだと思います。つまり、一七世紀前半ですね。あの時代に、二一世紀の世界は一番似ている。大航海時代が終わった後に何が世界に起きたのか？　新自由主義的グローバリゼーションが終わった後に何が世界に起きるのか？　このふたつの問いが似ていると私は思っていて、そのような歴史の大きな捉え方を最近の本では強調しています。

近代は資本主義発展の歴史であり、経済成長や人口爆発とセットですから、いずれ必ず限界点に達します。二一世紀初頭の世界が経験しているのは、要するに近代の臨界です。近代化が先に進んだヨーロッパでは、第一次世界大戦ごろに近代が限界に達し、しかしふたつの世界大戦でその限界の先にさらなる成長があるかのような幻想に浸る。しかしそれも一九七〇年代には終わり、「成長の限界」が多くの人に実感されるようになり、成長型の社会から循環型の社会への移行が本格化しました。

同じころ、日本でも水俣《みなまた》のような場所では人々が同じことに気づき始めますが、社会全体は変化しません。むしろ、日本全体が成長の限界を思い知り始めるのは、一九九〇年代のことです。他方、中国をはじめ、東アジアの多くの国々は、今もまだ成長経済のなかにいるので、その先に必ずくる近代の終わりを予感してもいません。でも、二一世紀半ばまでには、彼らも日本と同じ経験をしていくはずです。全世界で近代が飽和点に達するのがいつになるかはわかりませんが、二二世紀のどこかの時点までには地球全体が変化しているはずなのです。[*10]

――そうやって行き着くところまで行った先の向こう側には、何があるのでしょうか。

吉見　人口やエネルギーや諸々《もろもろ》の物質的なものが飽和点に達したとき、見田先生は「高原の見晴らし」という言葉を使って、精神的な解放がくると述べています。すなわち右肩上がりの経済成長も、そして進歩という概念自体も手放すときがくる。人類は、近代社会が到達した「高原」の果てに新たな風景を見出《みいだ》し、総体的に解放されていくという考え方ですね[*11]。

見田先生の場合は、おそらく五〇〇年か一〇〇〇年ぐらい先まで見通してそうおっしゃったのでしょう。そんな先のことは私にはわかりませんが、ひとつだけ明らかなのは、どの国でも、近代の長期経済成長期は二度と訪れないことです。近代の長期成長を経験すると、社会は根底から変容し、もう成長以前には戻れなくなる。それで終わりです。成長後の社会は、ずるずると緩やかに衰亡していきます。私たちが生きているのは、そのような歴史の局面です。地球の資源や環境には限界があり、また私たち自身も心性や意識から家族形態まですっかり変わっている。そういう社会はもう大きく発展することなどありえず、成熟ないし衰退を重ねていくのです。そういう意味では、閉塞することもそう悪いことではありません。逆にもっと深く閉塞していけば、新しい歴史が見えてくるし、日々の生活も豊かになるはずです。

――今度は開き直りですか。若い人が聞いたら、なんて無責任な、と怒りますよ。

吉見　全然、無責任ではないと思うんだけどな。歴史を振り返れば明らかに、成長する社会よりも成長しない社会のほうが、拡張する社会よりも収縮する社会のほうが豊かです。地球史的規模で考えれば、一五、一六世紀の世界よりも、一七、一八世紀の世界のほうが私は幸せだったように思うのですね。

シェイクスピアは、その一六世紀から一七世紀への転換点を生きた。だから彼は偉大な作品を次々に生み出すことができたのです。彼の作品には、人類の大きな方向性を見据えていたようなところがある。私が閉塞することも悪くないと思うのは、一七世紀もそう悪くはないと思うのと同じことです。大航海時代は暴力的です。とてつもない殺戮が起きてきました。今は、無理に成長に固執して、世界戦争を引き起こしてしまうほうがよほど無責任だと思いますね。いずれにせよ、近代の先について考えるには、その近代の究極の姿であるアメリカという巨大なシステムについて考えることが不可欠です。アメリカは、近代化の極点であり、現代社会の現代性を一身に体現してきました。

――近代を考えることはアメリカを考えるということであり、それは単なるネーションステートとしてのアメリカを論じることにとどまらない。むしろこれは、先生の研究の核心部に迫るテーマだということですね。では、そのあたりも含めて、次章で先生のアメリカ論についてお聞きしたいと思います。

第四章　アメリカと戦後日本——帝国とアメリカ化

第四章　アメリカと戦後日本――帝国とアメリカ化

『親米と反米――戦後日本の政治的無意識』

岩波新書、二〇〇七年

アメリカ合衆国という実在の一国家にとどまらず、それを内包する「アメリカ」という存在が近代という時代を象徴し、二〇世紀以降の世界の頂点であるならば、その巨大な権力に反発して「反米」を明に暗に唱える国や地域や人は、減少するどころか増えているように思われる。それにもかかわらず、なぜ日本はかくも「親米」であり続けるのか。いったい日本にとって「アメリカ」とは何か。いつから日本社会は親米的で、どのようにして「アメリカ」を求めてきたのか。本書は、日本が開国するきっかけとなった黒船の到来から太平洋戦争、そして占領期を経た戦後日本へと続く歴史をたどり、「アメリカ」がいかに欲望されてきたかを探究する。そして米軍基地や家電や天皇制などの具体的な事例に分け入り、「アメリカ」が日本社会に特有な政治的無意識として、ナショナリズムと一体化していくプロセスを解き明かす。吉見俊哉のアメリカ論は数々公刊されてきたが、本書はその代表作と目され、長らく読み継がれてきた。その理由は、占領期にとどまらず、戦前あるいは明治期から、根底では親米的であり続けたという日本社会の深層について、多くの資料と独自の視点から説得的に論じきった点にあると考えられる。

『トランプのアメリカに住む』

岩波新書、二〇一八年

二〇一七年九月から約一年、ハーバード大学に客員教授として滞在し、東京大学とはまったく違う「大学」を文字通り肌身で体験した吉見は、ルポルタージュのような文体から自身の経験をフィルターにして「アメリカ」を語り、また大学や文化や東アジアを思考し、そして戦後日本を逆照射していくという、『親米と反米』の問いを深化させる上演を本書で試みている。期せずしてドナルド・トランプが大統領を務めた分断の時代を体験し、そこに「アメリカ」という近代社会の現在地点を見出した吉見は、終章でメキシコ、あとがきでキューバという「内なる外」そして「外なる内」からまなざすことを通じて、「アメリカ」の世紀とは何かという問いについて立体的に論じている。

『夢の原子力――Atoms for Dream』

ちくま新書、二〇一二年

いつから日本における原子力は、被爆の「恐怖」から成長の「希望」へと、その姿を変えたのだろうか。なぜ戦後の日本社会は原子力を「夢」とみなし、その想像力を社会の隅々に浸透させていき、二〇一一年三月一一日の「あの日」まで享受し続けたのだろうか。一九世紀の電力の実用化と世界的普及を始点として、原子力を応用した発電と兵器（原爆）の開発を経て、冷戦体制下の戦後日本で原子力が「恐怖」の対象から「夢」や「希望」になっていく歴史過程を、吉見が独自のメディア史の方法と膨大な資料から解き記していく書。日米戦争の敗者となり被爆体験を有するはずの日本が、世界でも稀なほど「親米」で「親原子力」になっていく歴史の逆説を鮮やかに描ききっている。本書は『親米と反米』の続編であり、また二年前に出版されたオーストラリア国立大学のテッサ・モーリス＝スズキとの共著『天皇とアメリカ』（集英社新書、二〇一〇年）の姉妹編でもある。近代社会における「アメリカ」の大きさと、戦後日本における「アメリカ」を考えることの切実さを、改めて知らされる一冊でもある。

近代―アメリカ―戦後日本

――戦後日本についての先生のさまざまな著作のなかで、とりわけ「アメリカ」という存在が重要な「他者」として浮かび上がっているように見えます。先生にとってアメリカ論は戦後日本論と同じなのでしょうか。

吉見　いいえ、それは少し違います。外から見るなら、戦後日本論はアメリカ論という問題領域の一部であって、アメリカ論のほうが射程は大きい。「アメリカ」とは「近代」そのものですから、大雑把に言えば、近代論の究極の位相としてアメリカ論があるわけです。「アメリカ」とは何かを論じることは、「近代」をその臨界面から考えていくことになります。当然、これはアメリカ内部からだけでは答えきれない問いです。アメリカ合衆国の影響を長年にわたって受けてきたもうひとつのアメリカである中南米、とりわけメキシコだとか、合衆国によって植民地化されたハワイやフィリピンも特別に重要なフィールドです[*1]。しかし、それらメキシコとも、フィリピンとも異なる意味で、戦後日本もまた「アメリカ」とは何かを考える特権的なフィールドのひとつなのだと私は思っています。

しかし、その一方で、内在的に見ると、戦後日本論のほうがアメリカ論よりも射程が深いとも言えます。戦後日本にとってアメリカとの関係は決定的ですが、しかしそのアメリカに対する日本社会の反応には、「アメリカ」という問いからはみ出すような場合がいろいろあります。ひとつは天皇制やナショナリズムの問題系ですが、もうひとつにはある種のローカリズム、東京であれ地方都市であれ、それぞれの場所で起きた出来事には、アメリカ論の地平では語れないけれども、まさしく戦後の問題ということがありますね。ですから関係は複雑なのですけれども、少なくとも私が基地の街と若者文化の関係、あるいはマッカーサーと天皇のイメージの関係、さらにはディズニーランドや都市のアメリカ化について論じていく場合は、「戦後日本＝アメリカ」という関係式が成立しています。

――マトリョーシカのような入れ子構造になっているわけでしょうか。すると第三章の議論を引き継いで、なぜアメリカは近代そのものと言えるのか、教えてください。

吉見　マトリョーシカとも言えますが、クラインの壺《つぼ》でもあるのですね。近代とは、地域や場所、伝統のような一次的領域から社会が離脱していくプロセスですが、アメリカは、まさにヨーロッパの伝統社会から離脱してきたピューリタンによって始まります。彼らはアメリカ大陸に住んでいた先住民を殺戮し、独立戦争を「革命」と呼んで「アメリカ」という抽象的な空間を「自由な大地」として創造＝想像していきました。外から来た人間たちが先住民の歴史を抹消して創立した移民国家であることは、「アメリカ」という空間を見るときに最も重要なポイントです。そうした宙空に浮いているような国家が、今では北米大陸をはるかに超えて、衛星レベルから世界中を視野に収めているのです。*2

——つまり、先生はもう「鳥の目」を超えて、「宇宙の目」からアメリカを見ているということですか。

吉見　いえいえ、私は地上にいるのです。「宇宙の目」から世界を見ているのはアメリカであって、それはアメリカのペンタゴン（国防総省）であったり、宇宙産業であったりします。私たちはそのアメリカのまなざしを、テレビやスマホの画面を通じて二次的に経験しています。そうしたこと自体は湾岸戦争のころから変化していなくて、超大国アメリカのまなざしは私たちの身体にもしっかり内挿されているのです。前にも言ったように、近代社会でまなざしの主体は、あくまでまずは私ではなく近代そのものです。だから、ここはまさしくメディア論が本領を発揮すべきところですが、近代はメディア論的に視覚の制度であり、その視覚の制度を極限まで発達させたのはアメリカです。私たちは、そのアメリカにおいて開発されていった視覚の制度を自明なものとして身につけています。その自明性を根底から問い返すことが、私はメディア論の最も重要な課題のひとつだと思っています。

――かつての絶対的な存在としてのアメリカの時代はもう終わったとも言われますが、それでもアメリカは世界の中心にいると、先生は思いますか。

吉見　そう思います。アメリカの時代はまだ終わっていません。アメリカは資本主義を極限的に体現しているようなところがあり、まだ半世紀くらいはアメリカ時代が終わらないはずです。たとえば、私はそう簡単に世界の人々がディズニーランドやスターバックスやマクドナルドに見向きもしなくなるとは思えないのです。アップルやグーグル、アマゾンについても同じです。国家としてのアメリカでは、今後も混乱が続くでしょうが、それでもアメリカの軍事的、経済的、文化的ヘゲモニーは、少なくとも二一世紀の後半までは維持されるはずです。

対比的に言えば、ローマ帝国の地中海支配は、五賢帝時代が終わって政治の混乱がひどいことになってからも一〇〇年以上は続いたのです。いろいろな意味でアメリカの覇権とローマの覇権は似たところがあり、世界はまだまだアメリカから影響を受け続けるし、それが終わるころには、資本主義総体の終わりが見え始めているだろうと思います。そんなことが起こるのはまだだいぶ先で、少なくとも私はもう生きてはいません。

ですから私は、アメリカの時代が終わって中国の時代がくるとは全然考えていないということです。中国はもうしばらく経済成長を続け、軍事的にも強大化して、アメリカとの緊張関係が高まるでしょうが、しかしかつてのソ連がそうであったように、中国もアメリカの他者として強大な立場を築くにとどまると思います。中国は移民国家ではなく、長い伝統的基盤があります。ユーラシア大陸ではそうした文明がほとんどで、アメリカのような根本的に抽象的な存在ではないのです。習近平の中国はかなり強引で強欲ですが、この強欲さは本質的には資本主義の強欲さと少しずれる。アメリカの強欲さや軍事的な強引さは、資本主義の強欲さそのものであり、また近代そのものの強引さです。

上演論的パースペクティブから見るアメリカ

――先生が書かれてきたアメリカ論を時系列で見ていくと、イベントやテーマパーク、あるいは原発のようなインフラから、時空間としての戦後日本に広がっていくなど、どんどん手を広げているというか、話が大きくなっていっていますよね。

吉見　「アメリカ」は、私が対象としてきたなかで最も広がりのある相手で、それは実は現代世界とほとんど重なってしまうのですが、だからといってそのすべてに手を出してきたわけではありません。私にとって、戦後日本におけるアメリカは、戦前日本における近代天皇制と同じような位置にあり、戦後の文化事象を考えていこうとするとき、そのほとんどの背後にある巨大な力の審級として作動しているのです。

ですから、戦後の文化政治を分析すると、多くが結果的に「アメリカ論」になる。それでも問いの展開としては、まずは戦後日本に広がっていたさまざまな消費社会現象があり、それらを問うと、「アメリカの影」が出現してくるという順番です。私自身にとってアメリカ論は結果であって原因ではありません。いろいろやっていくなかで、やはり「アメリカ」という場の力学と正面から向かい合わなければいけなくなっていったのです。

――そこがはっきりしないんです。場とおっしゃいますが、先生のアメリカ論で上演論的パースペクティブがどう活《い》かされているのかが、よくわからないというか。

吉見　そうですかね。一九九〇年代初頭、多木《たき》浩二《こうじ》先生の研究会で報告したディズニーランド論は、まさしく上演論的パースペクティブの分析なのですけどね。[*3] そこで論じたように、アメリカの文化政治学は、文化パフォーマンスをまるごと取り込み、それを映像的な権力工学によって再編し、完全に予定調和の仕組みに組み上げてしまうような仕掛けを作動させています。これは、アリエル・ドルフマンとアルマン・マトゥラールが『ドナルド・ダックを読む』（山崎カヲル訳、晶文社、一九八四年）で論じたことでもあったのですが、そもそもヨーロッパの植民地からの独立というモメントを通じて自己形成を遂げていったアメリカの文化は、その植民地としての大衆文化的な基盤のなかでも息づいてきました。それがやがて、アメリカ自体が世界帝国としての意識を深く身につけていくなかで、「外部＝植民地」を予定調和的な内部に仕立て上げる巨大なエンタテイメント世界となっていったのです。

ディズニーランドは、まさしくこうした植民地的大衆文化を帝国の予定調和的な完結世界に転回させていく反転のパフォーマンスが日々完璧に演じられている場所です。「上演」という言葉を何か人間の生身の身体だとか、パロールだとか、偶発性だとかそういうところからだけ考えていると、ディズニーランドという場がなかなか「上演」とは見えにくいのかもしれません。しかし私が「上演」と言っているのは、必ずしもそれ自体としては反体制的な含意とか、ミハイル・バフチン的なカーニバル性とかが不可欠なわけではありません。

しかも、アメリカは自らがそれぞれのドラマの演出家であることをしばしば否認します。この否認は占領期の検閲にまでさかのぼるものですが、戦後を通じ、私たちはアメリカニズムを戦後天皇制であれ、テレビ文化であれ、家庭電化であれ、それぞれナショナリズムや日本的な娯楽文化、あるいは技術力として受容してきました。つまり戦後日本の側も、アメリカを強く欲望しながら、その欲望を否認もしてきたのだと思います。ジョン・ダワーが論じた日米の抱擁は、そうしたお互いの否認による抱擁でもあったと私は思います[*4]。

――まさに江藤淳《えとうじゅん》がそうだったように思います。

吉見　ですから、戦後日本における「シンボルとしてのアメリカ」は、アメリカと日本という二分法で分けることができない、そのどちらの役も、誰が誰として何を否認しながら演じているのかという厄介さがあります。ざっくり言えば、それは無限の仮面劇のような多重的な上演なのです。これはなかなかジャン・ジュネ的な上演とも言えますが、しかし演じている本人は、あまり自分がしていることに意識的ではありません。それぞれが無自覚になるほどまでに自分が何かに置き換えられているのです[*5]。

つまり、戦後日本人のなかで「アメリカ」は、他者でも自己でもあるような二重性を帯び、そのことがさまざまな文化表象のなかに表明されてきました。たとえば、家電製品は一九五〇年代には「アメリカ」を演じる俳優でしたが、六〇年代以降になると「日本」を演じる俳優に転身します。ゴジラについてみても、製作された一九五四年の時点では、あの巨大怪獣は第一義的には米軍のＢ29爆撃機のメタファーだったと思いますが、その後のさまざまな解釈のなかで、ゴジラは「Ｂ29」であると同時に、戦争で死んだ日本軍の「英霊」でもあったのではないかということになってくる。[*6] 私もゴジラにはこの両側面があると思っていて、そういう両義性が戦後日本の大衆的イメージには常についてまわっています。

しかし、さらに議論を進めると、戦後日本における「アメリカ」の上演を、このように表象の演技というレベルだけで捉えるのは、やはり不十分だという気がしてきます。なぜなら、戦後日本、つまり日本列島やそのなかの都市を考えたとき、アメリカは演じられる役であるのみならず、そのような役が演じられる舞台でもあったのです。

――そこから、アメリカを場として描く、ということになるわけですね。

吉見　はい。戦後日本における「舞台としてのアメリカ」は、いかなる舞台だったのかを考えることが、私のアメリカ論の重要なポイントです。もちろん、ここで「舞台」と言っているのは、具体的には米軍基地や東京ディズニーランド、ハリウッド映画を上映していた映画館などです。さらに広げれば、占領期には銀座をはじめとする東京の都市空間全体がそうした舞台でしたし、それより後には六本木や原宿もそうでした。ベトナム戦争が終わる一九七〇年代まで、沖縄の都市空間はそうした舞台です。これらの舞台において「自己」や「他者」を演じるのは、日本人とは限らないし、人間だけではない。怪獣やさまざまなキャラクター、テクノロジー、商品もまた「アメリカ」と「日本」を多重的に演じてきたのです。その舞台としての日本のなかの「アメリカ」が、戦後日本にどう成立してきたかを考えることが、もうひとつの『都市のドラマトゥルギー』になっていきます。[*7]

こうした展望を前提に、舞台としてのアメリカの力学は何かというと、この舞台を成り立たせてきた基本モメントは、「暴力」と「欲望」の表裏の関係だったと考えるようになりました。先ほどお話ししたように、一九八〇年代、私が戦後日本における「アメリカ」を問題にし始めたときに目の前にあったのは、一九八三年に開園した東京ディズニーランドでした。ディズニーランドは博覧会や遊園地と違い、映画の延長線上に成立している脱地理的な空間です。ディズニーランドに遊びに行く人は、博覧会のような俯瞰的まなざしを得ようとするのでも、遊園地のような機械的アトラクションの刺激を求めるのでもありません。彼らは映画スクリーンが三次元化した舞台のなかに入っていって、そのスクリーンのなかで自分を演じることを楽しむのです。そうした自己上演的な欲望はどのような仕組みで作動しているのかを考えました。

その後、列島各地にある米軍基地が、もうひとつの舞台としての「アメリカ」として気になり始めます。「アメリカ」は、単に消費社会的な文化として戦後日本に広がってきたのではなく、一貫して地球大の暴力でもあったと思います。しかも、その米軍基地は、戦後日本にアメリカの音楽文化やファッション、スポーツ文化が広がっていく際にきわめて重要な媒介者でした。一九八〇年代以降の日本では、若者たちは「アメリカ」を消費するためにまず東京ディズニーランドに行くようになるのですが、一九六〇年代以前の若者たちは「アメリカ」を消費するためにまず福生《ふっさ》や横須賀のような基地の街に集ったのです。

ディズニーランド的な消費社会と米軍基地的な軍事暴力の両面性は、アメリカという資本主義の帝国が本源的に内包している両面性の現れです。実際、沖縄もグアムもハワイもマイアミも、リゾートと軍事基地がセットになっているのは偶然ではないでしょう。高度化したグローバルな支配秩序としての「アメリカ」は、この両面、つまりハリウッド的な欲望の場とペンタゴン的な暴力の場を同時並行的に発達させてきたのです。

私は、この暴力と欲望の関係史を、戦後日本における「アメリカ」のさまざまな現れを通じて浮かび上がらせていきたいと思っています。たとえば占領期の日本では、アメリカは占領軍という暴力そのものであった一方、米軍基地から魅惑的な音楽や風俗が、人々の欲望の対象として溢《あふ》れ出ていました。そして一九六〇年代までに、暴力としてのアメリカは東京からは意図的に消されていきます。同じころ、本土の米軍基地も減少し、沖縄への軍事施設の集中が進むのです。その結果、一九六〇年代から、本土では暴力としてのアメリカは影が薄くなり、消費と欲望の対象としてのアメリカが支配的な力をもっていきます。[*8]

透明化するアメリカの越え方

――先生が二〇〇七年に発表された『親米と反米』では、日本社会における特異なまでの親米意識の、ある種の起源が明らかにされていると思います。他方で『親米と反米』で描かれているのは私たちの親世代が見ていたアメリカ的なものであって、今の若い世代が見るアメリカとはおよそ違っているようにも思いました。

吉見　今の若い世代が見るアメリカって何ですか？　アップルやアマゾン、グーグルのことでしょうか？　あるいはスターバックスかな？　私自身は、自分がもうすっかり時代の流行に追いつくのをあきらめているので、今の若い世代の感覚はよくわかりません。でも、今の若い人たちも、ディズニーランドには熱心に行っている気がしますね。ハリウッド映画もよく見ている。たしかに、グーグルやアップルが成立しているのは、ハリウッドやディズニーとはやや異なる次元で、それはそれで別の分析が必要ですが、それでも過去との連続性がある。少なくともディズニーランドの受容についての私の分析の有効性は、それほどには失われていないのではないかな。つまり、過去は一般の人が思っているよりもはるかにしぶとく現在に生きており、時代はよく言われているほどには変化していない。「今の若い世代の○○は、昔の世代とはおよそ違っている」というのは、私にはつまらない常套句《じょうとうく》としか聞こえませんね。日本では、実に多くの人が、現在の目先の変化に気を取られすぎているのではないでしょうか。

――たとえば九〇年代半ば以降に生まれた人たちは、iPhoneを普通に使っていても、それをアメリカとしては見ていないし、K‐POPもJ‐POPもアメリカのポップカルチャーがもとになっているということは意識していないでしょう。彼らの親世代には他者であったアメリカ的なるものは、もう全部当たり前のものになっていて、いわば透明化しているんです。

吉見　それはそうでしょう。しかし、そのような変化はすでに一九八〇年代にも起きていました。「アメリカ」を明示的に消費していたのは、せいぜい六〇年代までです。八〇年代には「アメリカ」はもうすっかり透明になっていた。八〇年代の若者は、もうアメリカを「アメリカ」として消費してはいません。加藤典洋《のりひろ》さんが言ったように、アメリカは空気のような存在になっていたのです。[*9] そうだとすると、八〇年代の日本の若者たちにとっての「アメリカ」と、現在の日本の若者たちにとっての「アメリカ」で、何が本質的に異なるのだろうか？ 私は、それほどには違わないのではないかと思います。世界の構造は、近代化の途上では劇的に変化しますが、近代化が終わってしまうと、それほどには変化しなくなる。たしかに技術は高度化しましたが、世界の文化地政学は、技術が変化したほどには変わっていません。

しかも、その「アメリカ」の見え方は、どこから見るかによってかなり違います。日本国内でも、東京から見える「アメリカ」と沖縄から見える「アメリカ」は違いますし、同じ東京圏でも横田や横須賀付近で暮らす人々にとっての「アメリカ」と、そうしたことには関係のない郊外で暮らす人々にとっての「アメリカ」は異なります。私は、こうした位置による「アメリカ」の見え方の違いは、世代による変化よりも大きいと考えています。このことは、地球大で考えていくともっとそうで、フィリピンから見える「アメリカ」とベトナムから見える「アメリカ」は異なります。私はメキシコに一年近く住んだ経験がありますが、メキシコに住むということは、アメリカをやや斜め下から見るような経験だとつくづく思いました。

ですから、「アメリカ」の見え方は、短期的にはあまり変化していない。むしろ、戦後日本を通じてこれほど変化しなかった対象は少ないのではないかという気すらします。日本は一貫して親米であり、今でもそうです。これは、世代が変われば変化するというものではなく、世代を超えて、構造的に不変な面がある。そうした構造的な不変性を、「日本のなかのアメリカ」について問わなければならないと考えてきました。

——なるほど、そこで先生がこれまで取り組まれてきたアメリカをめぐる上演論と、近年問われている時間論が交差するのですか。

吉見　いいえ、それほどは交差しないのですね。交差したほうが、質問の期待には沿うのかな。でも、話はそこが単純ではなく、今のところ交差していません。というのも、私がこれまでしてきたアメリカ論、つまり戦後日本のなかの「アメリカ」を問い返す作業は、基本的に文化の政治学という意味でカルチュラル・スタディーズの仕事です。

ところが近年、私はもうちょっと大きな歴史に興味をもっていて、それはつまりイマニュエル・ウォーラーステインとフェルナン・ブローデルなのですが、彼らの仕事に、学生のころに読んだときには見えていなかった認識の地平を発見し直しています。昔、不勉強だったとも言えるのですが、これはしっかり考えなくてはならないと思う。それで大雑把に言えば、文化の地政学で問題なのはまなざしの政治学、つまり上演の空間構造です。それに対して、グローバル・ヒストリーで問題なのは歴史の尺度、つまり上演の時間構造です。空間軸と時間軸は交差して当然な気もしますが、どうもそう単純ではありません。

アメリカについて言えば、カルチュラル・スタディーズ的には、日本のなかのアメリカの文化政治的な作動が問題なのですが、グローバル・ヒストリー的には、遅くとも第一次世界大戦のころまでに始まっていた「アメリカの世紀」がどう終わっていくかが問題です。これは一五〇〇年から二〇〇〇年くらいの尺度で起こることで、「アメリカの世紀」はまだ続いているけれども、二二世紀までには終わりがはっきりしてくる可能性がある。そしてこれは、基本的に資本主義的世界システムのサイクルの問題なのです。ある意味で、まなざしの政治学は空間的にミクロで、歴史の尺度は時間的にマクロです。ミクロとマクロはそう簡単にはつながりません。

――ひとつ気になっているのは、先生は場を緻密に書くことは得意とされる一方で、その構造、場を変えるにはどうするかという処方箋が具体的でないということです。たとえば『親米と反米』の終章は「『親米』の越え方」というタイトルであるにもかかわらず、どうやって越えるのかについては書かれていません。

吉見　「越え方」とあるのに、どう越えるかが書いていないという批判ですね。しかしそれについては、私は『親米と反米』の後に『アメリカの越え方——和子《かずこ》・俊輔・良行《よしゆき》の抵抗と越境』という本を書いていて、そこでは鶴見俊輔さんと鶴見良行さんの「アメリカの越え方」を論じています。[*10] つまり、「アメリカ」という戦後日本にとって巨大な存在を越えていくこと、それはもちろん経済大国になることや技術力でアメリカ以上になることではありませんね。そうではなく、「アメリカ」の大いなる影を突き破る地下道を見つけていくことですが、そうした抜け穴を鶴見俊輔さんも良行さんも探究された。しかしその探究のされ方は、方法がちょっと違っていた気がするというのが私の見立てでした。

それで、ある機会に、鶴見俊輔さんご自身にこの問いを投げかけてみたのですが、もうだいぶお年で、真正面からは答えていただけませんでした。同じ問いは、そのとき、私の横に座っていらした加藤典洋さんも気になっていたようで、今度、僕がもうちょっと聞いておくよと言ってくださったのですが、その加藤さんも亡くなられてしまいました。

俊輔さんと良行さんの「アメリカの越え方」の違いは、私の考えでは、どう言ったらいいのかな、俊輔さんは下のほうに穴を掘っていくことによって越えようとした。良行さんは横に、ずっと遠くまで自分で行ってしまうことによって実際に越えてしまった。ですから、実践的にアメリカを越える方法を示したのは良行さんのほうですが、しかし、私は俊輔さんの示した可能性をカルチュラル・スタディーズの研究者として引き受けたいと思っています。

端的に言えば、良行さんが示したアメリカを越える方法は、アジアの海に深く入ることです。この路線は、宮本常一《みやもとつねいち》さんや網野善彦《あみのよしひこ》さんに通じますね。つまり、「海のネットワーク」として生きられてきたアジアのなかに、「空の帝国」としてのアメリカを越える方法がある。実際、ベトナム戦争では、とてつもなくローテクのベトナムが、超ハイテクのアメリカに勝ったのです。その勝利は、インドシナ半島の密林によってもたらされました。森のネットワークです。しかし、南シナ海や東シナ海、それこそ琉球《りゅうきゅう》諸島がへその位置にあるアジアの海のネットワークの可能性は、この地域を上空から支配してきたアメリカや、最近になってこの海域に軍事進出している中国の帝国的な暴力の射程をはるかに越えていると私は思います。

ただ、私は人類学者とはちょっと違う生き方をしてきたので、アジアのトランスナショナルなネットワークはすごく重要だと思っているけれども、それでも日本のなかから「アメリカ」を内破していく道を探っています。鶴見俊輔さんの限界芸術論は、ある意味でその答えのひとつだったのですが、しかしそれでもちょっと不十分で、そうなると私なんぞがそう簡単に「こういう方法なら越えられる」と示せるわけではありません。

鶴見俊輔さんの限界芸術論とは異なる仕方で、私が日本の大衆文化に照準しながら考えてきたのは、戦中期までの帝国主義と戦後のアメリカニズムの構造的な連続性です。俊輔さんは、強迫的なまでに「敗者のまなざし」にこだわることで、ご自身の祖父だった後藤新平《ごとうしんぺい》の、つまり後藤がまさに体現していた大日本帝国の呪縛から解放されようとした。限界芸術論は、実はそうした意味で「敗者」のための理論なのですが、その一方で、戦後日本人が「アメリカ」の呪縛をなかなか越えられないのは、戦後日本人が「アメリカ」を大好きだからです。『親米と反米』で詳しく書きましたが、戦後日本の親米意識は一貫して高く、しかも変化していません。こんなに安定的に強い親米感情を表明し続けてきた国は、世界で他にない。そこに日本人がアメリカを越えられない根本の要因があって、ほとんどの日本人はアメリカを越えようなんてこれっぽっちも思っていないのです。

問題は、それがなぜなのかですが、そこには日本が敗戦まで東アジアの帝国であったことから、冷戦体制のなかでアメリカに一番近い国としてアジアのなかで優越的地位を保持したことへの連続性があるわけです。戦前、戦後を通じ、日本人はこの優越性に固執し、そのためにアメリカから離れられなくなります。つまり、「勝者」であろうとし続けているのです。ですから、戦前の近代天皇制と戦後のアメリカニズムは連続的です。日本の内側から「アメリカを越える」とは、この連続性を相対化し、そこから離れること、つまり深い意味で「敗者」のまなざしを獲得していくことだと思います。

――ということは、時間軸をさかのぼるような感じで近代の帝国主義的なものをアメリカ論として考えるということですね。

吉見　もちろん、そうです。古代から一八世紀まで、日本は基本的にはユーラシア大陸の一番東の端にある国として生きてきました。つまりこの大陸の一番西にあるのがイングランドやアイルランドで、一番東にあるのが日本です。この地政学が変わらない限り、文明はいつも西の大陸にある中華帝国から、朝鮮半島を渡って到来します。隋《ずい》や唐《とう》、宋《そう》、元《げん》、明《みん》、清《しん》、このすべての中華帝国の王朝との関係が、日本から見れば同じです。日本のその時々の権力者たちは、これらの大陸の帝国と一定の距離を取りつつその影響下にずっとあったのです。

この構造が決定的に変わるのが一九世紀で、太平洋の東の隣国として、中華帝国以上に実力のあるアメリカが立ち現れる。そして一九世紀末以降、日本はそのアメリカの側に立ち、中国をはじめとするアジアを植民地化する国家になることに決めた。

このようなまなざしのパラダイム・チェンジが起きたのは、西洋をより進んだものとし、非西洋をより遅れたものとする近代の直線的な時間軸、つまりブローデルの言う「世界時間」が全地球を覆っていったからです。この時間軸において、中国の位置が「文明の中心」から「遅れた近代以前」に変わります。空間的には日本は中国の周縁に位置していても、時間的にはより進んだ西洋に近い国とみなして優越的な位置に移ったのです。

戦後日本の「アメリカ」をどう越えるかという問題は、このような大きな歴史的視座から問い直されなければなりません。戦後、冷戦体制下で日本はアメリカの軍事的ヘゲモニーの下で自国の安全を確保していこうとしますが、より根本的には、すでにそれ以前、一九世紀から日本人は「中国」よりも「アメリカ」を選択していたとも言えます。なぜならば、「アメリカ」は「中国」以上に「近代」だったからです。

ハーバード大学で見えたものは

——アメリカをめぐる話で、先生が二〇一八年に書かれた『トランプのアメリカに住む』についてお聞きしないわけにはいきません。先生がハーバード大学に客員教授として一年間赴任され、見えてきたのはどんなアメリカだったのかと、大きな期待をもって読んだのですが……でも、この本に出てくるアメリカはちょっと美化しすぎているというか、剝製にされたアメリカだなあ、という印象でした。

吉見　せっかく期待してくれたのに、ごめんなさい。「トランプのアメリカ」を深く考えるには、本当は中西部のラストベルト（鉄鋼、石炭、自動車などの主要産業が衰退した工業地帯）にも行ければよかったのですが、毎週、大学院や学部の授業の準備をしていましたから、正直、すべて英語での授業の準備で精一杯でした。しかし、ハーバードで一年間教えたことで、アメリカのトップ・ユニバーシティの教育がどのような仕組みでまわっているのかが本当によくわかりました。そもそもアメリカに一年間滞在したいと思った最大の目的は、アメリカの大学教育がどのように運営されているのかを内側から観察することでしたから大変意味がありました。結論的には、どうにもこうにも日本の大学教育は絶望的だということです。

――いえ、そういうことではなくて、先生にしては珍しい、体験記のような、あるいは参与観察のような本を出版された意図についてお聞きしたいのですが。

吉見　ヴァイオリニストの黒沼ユリ子さんに『メキシコの輝き――コヨアカンに暮らして』（一九八九年）という岩波新書の本がありますね。あれは、黒沼さんがメキシコシティのコヨアカン地区に暮らしながら、ディエゴ・リベラやフリーダ・カーロ、トロツキーなどのこの地区とかかわりのあった人々の軌跡と出会っていくとても素敵な滞在記なのですが、一九九〇年代はじめ、メキシコシティで教えていたとき、私たち家族もそのコヨアカン地区に住んでいて、黒沼さんの本を熟読していました。

しかし、メキシコに滞在していたころは、私自身のスペイン語の力不足もあって、とてもとても滞在記を書けるだけの実力がなかった。それでも帰国後、「現代思想」に滞在記を論文化し、それは『リアリティ・トランジット――情報消費社会の現在』という本に収録しました。*11この本は、あまり売れなかったのですが、しかしあのときに書いたメキシコシティ論は、自分としてはそんなに悪くないはずだと思っていて、同じようなチャレンジをまたする機会があればどこかでしたいと、ずっと思っていました。

そして、二〇一七年から一八年にかけて、ハーバードで教え、しかもエドウィン・ライシャワー元駐日大使という歴史上の人物のお宅に住まわせていただくありがたい機会に恵まれます。それなら当然、ライシャワーさんと松方ハルさんのお宅のことや、大学のあるケンブリッジの街、ボストンでの日々のことを書くべきだったのかもしれません。ところが二〇一七年は、前年に大統領に当選したドナルド・トランプがそれこそやりたい放題というか、本当にひっきりなしに問題を起こしてアメリカ社会が大混乱に陥っていた年なのですね。日本のメディアで伝えられるのはそのほんの一部で、アメリカで暮らし始めると、朝から晩までとにかくトランプ、

トランプ、トランプの問題で騒然としているのです。

滞在中、歴史学者のジョン・ダワー先生と昼食をさせていただく機会がありました。ダワー先生は私に会うなり、「プロフェッサー・ヨシミ、コングラチュレーション」とおっしゃいました。私はびっくりして、「何がコングラチュレーションなのですか？」と聞くと、ダワー先生は、「だって、あなたは社会学者でしょ。社会学者からすれば、トランプが大混乱に陥れている今のアメリカほど『アメリカ』がよく見えるときはありませんよ」とおっしゃいました。そんなこんなで、とにかく朝から晩までメディアも人々も大騒ぎになっている状況を前に、私は「トランプのアメリカに住む」ことをテーマにしなければという思いを強くしたのです。日本からだと、今でもトランプのようなとんでもない人物が影響力を保持し続けていることが不思議でならないでしょう。その不思議さは、アメリカにいても残るのですが、しかし「トランプ」が台風の目であるというリアリティは、あの時期のアメリカで暮らしてみると切実です。アベノミクスや小泉劇場の比ではありません。

――もちろん、私たちも学術書として『トランプのアメリカに住む』を読んだわけではありません。ハーバードに到着された直後の、たとえばハーバードの著名な日本研究者であり駐日米国大使も務めたエドウィン・ライシャワーの家に住み始めるところなどは、非常に面白く読ませていただきました。ただ、旅行記だとしても、先生がわざわざ一年もアメリカに行ったのに、なぜ私たちが知っているアメリカしか出てこないんだろうというのが残念だった、と思います。

吉見　あの本は、まさに「私たちの知っているアメリカ」と「ドナルド・トランプ」という人物が、いかにして共振現象を起こしているのかがテーマなのですけどね。ですから、あの本に書かれている「アメリカ」は、ある意味でよく語られてきたアメリカかもしれません。しかし、そのアメリカからなぜ、現地で暮らしているとどう考えても「とんでもない」としか思えない「トランプ大統領」のような登場人物が生まれてくるのだろうか。

これも、ある意味でドラマトゥルギーなのです。ですから、あの本の冒頭には、あえてシェイクスピアの『リチャード三世』（一五九一年初演）の第一幕第一場の台詞を引用し、新歴史主義の立場からのシェイクスピア研究の泰斗スティーヴン・グリーンブラットの見事な考察を添えたのです。要するに、なんとシェイクスピアは、すでに一六世紀末、ドナルド・トランプ大統領の登場を予言していたのです。すごいですね、本当に。[*12]

とはいえ、私はとてもシェイクスピア的天才でトランプ論を展開することはできないので、あの本ではより常識的に、メディア、ナショナリズム、暴力、階級、軍事の五つの次元から

「アメリカ」を再検討し、そのそれぞれの次元で「トランプのアメリカ」がどんな生成原理と揺らぎをもっているのかを検討しました。当然、アメリカのメディアの話も、ナショナリズムの話も、銃規制や性暴力の話も、中産階級の没落の話も、グローバルな軍事的覇権の話も多くの論者によって語られてきたことです。しかし、トランプがアメリカを大混乱に陥れることに成功したのは、これらのそれぞれの次元でアメリカ社会が抱え込む深刻な矛盾や虚偽を実に巧みに利用したからです。逆に言えば、トランプ現象の背後にあるのは、アメリカ社会が根本的に抱え込んでいる矛盾や亀裂です。トランプは、実に狡猾《こうかつ》なヒール役者なのです。

――しかし、アメリカが象徴する近代性は、トランプ現象を超えてアメリカをじっくり見ていかないと見えてこないのではないですか。

吉見　いいえ、私はそうは思いません。先ほども申しましたが、私は一九九三年から約一年間、メキシコシティにある大学院大学に滞在したとき、メキシコから見るほうがアメリカ国内から以上に「アメリカ」とは何なのかがよく見えると実感しました。メキシコからの視界は、アメリカをちょっと下から見上げる感じなのです。当時、メキシコにはすごい勢いでアメリカ資本が入ってきていて、アメリカの消費文化が日常を覆い尽くしつつありました。

しかし、一九九四年一月一日にメキシコ南部のチアパス州で起きた先住民叛乱は、NAFTA（北米自由貿易協定）反対とメキシコの民主化、先住民や農民の劣悪な生活状態の改善などを訴える強烈な異議申し立てでした。この叛乱を伝えるニュースは世界中に配信されましたが、重要なのは、叛乱したゲリラが、テレビや新聞から世界に広がり始めていたインターネットまでを非常に上手に使い、自分たちのドラマの演出を意識的にしていたことです。彼らのリーダーは「副司令官マルコス」という人物でしたが、彼はなかなかの詩人で、哲学者で、覆面の俳優で、メディアのプロデューサーで、ゲリラでした。[*13] メキシコの多くの人が、彼の語りやしぐさに魅了されていたのを思い出します。しかし、英語メディアからではメキシコの現場で感じていることがちっとも見えてこない。それで、できないのにスペイン語で必死に現地の新聞を読んだのですが、語学力がそう簡単に身につくわけもなく、挫折しました。

ですから、「アメリカ」が見えてくるのは、アメリカ内部からだけではないのです。アメリカ内部にあっても、トランプのような尋常ならざる人物が大統領になってしまったとき、その異常さのインパクトで「アメリカ」が見えてくる。ある社会が自らの深奥を開示するには、なんらかの他者が必要なのです。同じように、私は日本や韓国、フィリピンから見える「アメリカ」がつながっていったとき、ワシントンやニューヨークから見えるアメリカ以上に、「アメリカ」の本質を捉えることが可能になると思っています。メキシコ滞在は、「アメリカ」を考える非常に重要な視座が、あの大陸で周縁化され続けてきた先住民の側にあることを教えてくれましたし、ハーバード滞在は別の意味で、トランプという異物が「アメリカ」を考える貴重な媒介となることを教えてくれました。

――それは興味深い話ですが、そういうことをおっしゃる先生だからこそ、アメリカのなかにいても他者の視点で見ることができるのではないかと期待していたんです。

吉見　いえいえ、私は自分では他者の視点を創造できません。私がやってきたことは「他人の褌《ふんどし》で相撲を取る」、ちょっと言葉が汚いですね、盛り場であれ、博覧会であれ、近代天皇制であれ、アメリカであれ、なんらかの他者のまなざしを借りながら、それを媒介に自明性の外に出ようとすることです。知的認識とは、常に根本的に対話的なものなので、何かを書いていくには、いろいろな人と対話していなければならない。生きている人とも、もうとっくに死んでいて、何かを書き残している人ともです。そうすると、先住民叛乱であれ、ドナルド・トランプであれ、こういうことは本当に多くの人が同時多発的に考えているので、そのような他者のまなざしに学び、それと対話しながら何かを書いていくことになります。

実際、今日まで古典として残る最も優れたアメリカ論を書いたのはアレクシ・ド・トクヴィルで、彼はフランス人です。しかし彼のアメリカ論が卓越しているのは、彼が実に柔軟に多くのアメリカ人と対話し、やがて先住民とも話をしていたからです。

――いろいろな人の知見から学ぶのは当然のことだと思います。

吉見　チアパスの先住民叛乱を起こした副司令官マルコスというリーダーは私と同じ一九五七年の生まれです。彼も本をかなり書いているけれども、私は彼のようにゲリラになって戦ったりはできません。私がいるのはもう少し曖昧な場所です。『トランプのアメリカに住む』のあとがきで、ハーバードからの帰りにキューバに寄った話を書いていますが、ハバナの路地にチェ・ゲバラとマリリン・モンローのポスターが並んで貼ってあるのを見て、「こういうのはいいな」と思う。こういう、いい加減な感じが私は好きです。

――そこなんです。旅行記と言いながら、やっぱりメキシコやキューバについての記述はアメリカを捉える先生ならではの視点があるんですよね。そういう話をもっと期待していたのですが、たとえばハーバード自体をアメリカのフィルターとして見ることはできなかったんでしょうか。

吉見　ハーバードはアメリカの大学ですが、ちょっとアメリカを超越しているようなところがある。ハーバードに限らず、アメリカの大学教育の仕組みは、トップレベルでは本当によくできています。日本の大学教育とは構造的に違っていて、文部科学省がアメリカの高等教育の諸要素を取り入れる政策を推進しても、ちっとも成果が出ないのは、全体の構造がかなり違うからです。しかしこのアメリカの大学の成り立ちには、実はかなりの普遍性がある。

結局、ハーバードに絞ると、日本の大学の本当に絶望的なところばかりが目についてしまう。このへんのことは、苅谷《かりや》剛彦《たけひこ》さんとの対談集『大学はもう死んでいる？──トップユニバーシティーからの問題提起』（集英社新書、二〇二〇年）でかなり語り合ったのですね。アメリカの公教育はひどい状態ですが、それとトップ・ユニバーシティの教育との間に大きな乖離《かいり》があって、もちろんその乖離は深刻な問題ですが、だからといってトップ・ユニバーシティの教育の仕組みがだめだとはとても言えない。結論的には、ハーバードをフィルターにしても、私は「アメリカとは何か？」は見えてこないと思います。

──これは大学論につながる話なので、次章でしっかり語っていただきたいと思います。

第五章　都市としての大学——日本の知の現在地

『大学とは何か』

岩波新書、二〇一一年

　大学を高等教育機関として前提視せず、そもそも大学という存在が人類にどのような価値をもたらしてきたのかを歴史的に問う吉見俊哉は、優れた知を求めて自由に旅する学生と教員たちの互助組織として、中世ヨーロッパの都市文化に結実した「ユニバーシティ」こそを大学の起源と捉える。だが活版印刷による知の流通革命が生じ、存在価値を低下させた大学は、やがて近代の国民国家に役立つ「研究と教育を一致させた機関」として自らを再編することで、その価値を再生させた。そうした国民国家の大学を輸入し、さらに帝国の大学として組織したのが明治期以降の日本の大学であり、それは戦後日本でも完全には解体されなかった。他方で校数が急増していき、独立法人化などの混乱に巻き込まれていった日本の大学では、「大学とは何か」を問うことは乏しくなり、ただ国内外での生き残りに忙殺されていく。こうした時代に大学の起源を独自の視点から問い返し、大学の存在価値と理念を再考した本書は、吉見の大学論の出発点となり、版を重ねていった。吉見には「大学とは都市である」という着想があり、いわば都市論の延長線上に本書をはじめとする吉見の大学論があることが、今回の「特別ゼミ」で明らかにされている。

『大学は何処《どこ》へ――未来への設計』

岩波新書、二〇二一年

『大学とは何か』から一〇年間、吉見は数々の大学論を発表し、さまざまな大学関係者と議論を重ね、そしてハーバード大学での教員経験も経て、今日の大学のあり方、とくに日本の大学の現状に対する考察を深化させてきた。そうした自身のフィールドワークまたは参与観察から、「日本の『大学』は、実は大学＝ユニバーシティではなかったのだ！」（二九八頁）という「発見」にいたった吉見は、前著よりも具体的で批判的な切り口から日本の大学の問題を論じ、改めて「大学とは何か」という理念を問うている。本書では「時間」という視点からポストコロナ時代の大学を再生する道筋を模索し、その終盤では副題の「未来への設計」となる議論を展開している。

『大学はもう死んでいる？
――トップユニバーシティーからの問題提起』

苅谷剛彦と共著
集英社新書、二〇二〇年

『大学とは何か』と『大学は何処へ』が吉見の大学論を代表するふたつの点であり、両点の間に一本の線が引けるならば、その線を大きな面として織り広げていく大学論を、苅谷剛彦という最適の共著者とともに実現したのが、本書である。東京大学そしてオックスフォード大学の教授を務め、教育社会学の専門家として国際的に活躍してきた苅谷は、吉見の問いを共有しつつ自身の経験や日英比較の観点から、今、問うべき大学論を延伸していく。そうして両者は日本の大学の現状を厳しく論じつつも、当事者でもあり実践者でもあるそれぞれの立場から今後進むべき道を考えている。本書の議論は大学に限らず、現代日本社会に通底する論点も多く含むため、狭義の大学論にとどまらない、二人の優れた知性による現代日本文化論として読むこともできる。

吉見俊哉と大学論

――この章の議論を始める前提としてうかがいたいのは、なぜ教育学を専門としない先生が大学論を書くことになったのか、ということです。二〇一一年に刊行された『大学とは何か』以降、先生は精力的に大学論を発表されてきましたが、その背景には、先生が東大の情報学環長や副学長といった大学の要職を歴任したことが影響していたのでしょうか。

吉見 いい質問なので、逆にお聞きしたいのですが、教育学を専門とする人間が大学論を書くのは普通で、私のように教育学を専門としない人間が大学論を書くのは普通ではないとなぜ思われるのですか？ その常識はどこからくるのかな？ 社会学だとかカルチュラル・スタディーズだとかは、そのような常識を叩き壊すためにこそ存在しているのではないかと私は思うのだけれども、違うのだろうか。私は逆に、教育学者が大学論を書くのは当たり前すぎるので、教育学者にはぜひ盛り場論を書いてほしいと思いますね。教育学的現場として、歌舞伎町やディズニーランド、博覧会を論じてほしい。

私の場合は、逆のパターンですが、それほど異常なことだとは思いません。なぜならば、大学は第一義的には必ずしも高等教育制度ではないからです。もし、大学が高等教育機関というだけの存在ならば、さすがに私も大学論を書きません。しかし私の考えでは、大学は高等教育機関である以前に、都市なのだと思います。都市としての大学という存在条件がまずあって、それがやがて国民国家体制の下で高等教育制度になっていく。その国民国家が揺らいでいる時代に、「大学とは何か」を問い返すには、高等教育研究という枠組みだけでは不十分で、都市論が必要なのだと私は考えています。

私がなぜ、そう思うようになったのか、もっと自分の軌跡に即して説明する必要がありますね。第一章でもお話ししたように、私は研究というのはふたつの中心点をもつ楕円構造をしていると思っています。一方は、その研究者が生涯にわたり探究し続けるテーマで、私の場合、それは上演的な場としての都市です。他方、それぞれの研究者は人生の時々で、自分が置かれた状況のなかで柱として立てなければならない、立てたほうが多くの人の役にも立つと思われる課題と遭遇します。問題は、このふたつをどう織り合わせるかで、別々にやってもいいのですが、私は不器用なので、ふたつの中心を別々のこととしてはできないから、ふたつをひとつの楕円に統合していこうという意識が強かったのだと思います。

それで、このふたつの中心点の関係が問題なのですが、楕円構造に統合されるということは、中心軸が動くのです。二番目の中心軸に、一般的に考えられているのとは別の意味付けが与えられることになる。ですから背景的には、私が大学のアドミニストレーションにかかわったことと、私が大学論という楕円を描くようになったことの間には関係があります。大学行政にかかわり、さまざまな疑問を感じたり、壁を突破したり、いろいろな人を説得しなければならなくなっていくなかで、吉見なりに「大学とは何か」を考える必要が生じてきた。そして、そこに「大学＝都市」という仮説が生まれ、いろいろ調べていくとこの仮説はなかなか悪くない、本当に大学はそもそも都市なのだとしか思えなくなってきたのです。それならば、大学論を都市論として書く必要があるのではないか。「都市としての大学」の歴史を書くことで、多少なりとも大学の未来を展望することが可能になるのではないかと思い、一連の大学論としては最初の『大学とは何か』を書きました。

しかしその後、私の都市論は、空間論的なものから時間論的なものへと主軸が移っていきます。このあたりは厳密に対応しているわけではありませんが、大学についても時間構造が決定的に重要だという認識が深まっていったのですね。履修科目数のことや学事暦のこと、カリキュラムの構造や六・三・三・四制への単線的一元化のこと、そして人々の人生のなかでの大学の位置づけのことなど、要するに大学は時間的存在であり、その時間構造を見直すことが、ここ数十年で進行してきた大学の窮乏化、つまり大学教員の人生の劣化や学生たちの疲弊を考え直す決め手だと確信するようになりました。それで、実質的に都市論、それからメディア論でもある『大学とは何か』に対し、明示的に時間論として『大学は何処へ』が書かれるわけです。いずれも、大学を高等教育制度として見るところからは出発していません。都市論や時間論の視座から大学を捉え返した本です。

――すると、先生が大学論を書くことと、先生の人生は間接的な関係しかない、と。

吉見　間接的な関係しかないというよりも、間接的な関係があるということです。私の大学論は、私が東京大学で経験したことについて論じたものではありませんが、そうした経験がなければ大学論は書いていなかったでしょう。間接的な背景となっているのです。それはまさしく楕円構造で、一方の中心は大学での経験を背景にしていますが、しかしそれが私なりの大学論になるためには、もう一方の中心軸に引き寄せられる必要があった。その結果、私が論じるのは、要するに大学が教育研究機関である以上に「都市」であるのはいったい、いかなる意味においてなのかという点になります。

『大学とは何か』で追究したのはまさにこの問題で、そこで主張した「大学は二度誕生している」というテーゼは、一二、一三世紀のヨーロッパに大学が誕生したとき、それはいかなる意味で都市であったのかが重要で、それが一六世紀以降、徐々に死んでいくとしたら、そこでの印刷革命や領邦国家、宗教革命の果たした役割が問題になります。この本の基底にあるのは、知的創造の基盤としての大学＝都市と出版＝メディアの一筋縄ではいかない関係でした。

――では、大学論も、これまでお聞きしてきた都市論のなかに位置づけられるということでしょうか。

吉見　もちろんそうです。私が大学論を書かなければならないと思ったのは、「大学は根本的に都市である」という歴史的端緒を発見したからです。「大学の自由」は本質的に「都市の自由」と同じであり、その根底には「移動の自由」があります。日本の大学がどうしても欧米の大学のようになっていかないのは、「大学＝ユニバーシティ」という概念の根底にあるこの三重の「自由」を十分に認識できていないし、それを制度化もできていないからです。

なんといっても、日本語でいう「大学」は、もともと古代律令国家の官僚養成機関だったわけで、古代復興を目指した明治維新政府が、この古代律令国家に連なる言葉を西洋の「ユニバーシティ」と結びつけて復活させたのです。しかし本当は、「ユニバーシティ」は「大学」ではないのですね。根本が違ったのです。[*1]「ユニバーシティ」は、たとえば幕末期の「塾」のほうがよほど近い概念です。幕末の塾は、新しい知を求めて旅する武士や商人の知的共同体でした。「慶應」は「慶應義塾」なのであって、本当は「慶應大学」ではないのです。この福沢諭吉的な高等教育への視点は、かなり正しいと思います。

――『大学とは何か』を読まれていない読者に向けて、「都市としての大学」とはどういうことか、説明していただけますか。

吉見 都市の根本にあるのは移動性です。ムラは基本的に閉じた共同体で、そのようなムラから飛び出したり、はじき出されたりした人々、商人や職人、渡世人や聖職者、それに知識人たちのネットワークのハブとして都市が発達します。これが、西洋中世都市の基本モデルです。旅する教師と学生の協同組合として発展した大学は、そのような横断的なネットワーク性を代表する場所でした。彼らがなぜ協同組合を結成していたかといえば、旅をしない人々、つまりそれぞれの都市の支配層や周辺地域の領主層にいじめられないようにするためです。「大学の自由」は、観念だけでは成り立ちません。旅人という弱い立場にあった教師と学生は、ローマ教皇や神聖ローマ帝国皇帝という超越的な権力と結びつき、彼らの勅許を得ることで地元権力の干渉から自らを守ることができたのです。

さらに、中世ヨーロッパに大学が誕生したのは、この地域に成立していた権力の多重性と関係があります。権力が一元的な国家では、「大学の自由」の基盤は脆弱《ぜいじやく》です。権力が重層化していて、ローカルな権力を超越する広域的な権力と結びつけたからこそ、大学は一定の自由を享受できたのです。ですから、この大学の脱ローカル性＝自由は、都市の越境性と根が同じです。まさしくそうした重層権力的な状況が、古代帝国が衰亡してしまった後、一二、一三世紀のユーラシア大陸には成立していたのだと思います。そして、それと似たような状況が、今日のグローバル化のなかで再来してもいるのです。

――「大学の自由」は「教授会の自由」でもない。

吉見　当然です。教授会はまずその共同体から学生を排除している点で、実は「教師と学生の協同組合」としての大学を代表していません。日本で言われる「教授会の自治」は、結局のところ既得権益集団である大学教授たちの集団的権益を正当化する仕組みです。つまりそれは、「大学の自由」とは何ら関係のないムラの寄り合い的な概念です。

また、「大学の自由」は、そもそも国家の下にあるのではありません。国家をも超えた越境的なネットワークとそれを保障する脱領域的権力が、本来の大学の自由の源泉です。ですから本当は、日本でも、国や文部科学省の下に大学があるわけではまったくなく、大学は国際的に信頼性のある認証評価機関によってアクレディテーション、つまり質保証を受けなければならないはずなのです。そしてその場合、その超越的審級は国家とは一致しません。しかし日本の場合、そうした独立した国際性ある機関が存立する基盤は脆弱で、文科省の下に各種審議会や委員会が設置され、文科官僚たちの、それはそれで本当に頭が下がるようなまじめで誠実な努力で全体がなんとか円滑に運営されています。[*2] こうしたあり方自体、かつて福沢諭吉が批判した本末転倒なのですが、それが今日では揺るぎ難いものになっているのです。

――生々しい話になってきました。

吉見 なぜ「大学の自由」の根本が「移動の自由」であり、それが「大学＝都市」になるのかが重要です。中世は面白い時代で、全世界的に多くの知識人が旅をしていたのですね。ヨーロッパはもちろんですが、イスラム圏でも中華圏でもそうです。イスラム圏では、そうした旅する知識人のなかにイブン・ハルドゥーンのような偉大な学者がいましたし、中華圏でも朱熹《しゅき》などが大思想家としています。日本でこれに相当するのが曹洞宗《そうとうしゅう》を開いた道元です。いずれも中世、ハルドゥーンは北アフリカ各地を、道元は中国と日本の間を旅しました。

平安末期から鎌倉時代にかけての日本にも「文明化」はあったわけで、その「文明」の中心は圧倒的に宋でした。宋は文明が高度に発達した国で、文化や哲学が深い。やがてモンゴルがこれを簒奪《さんだつ》します。ですからこの時代、イスラム圏や中華圏でも大学に相当する高等教育機関が成立しています。詳しくありませんが、イスラム圏ではこれを「マドラサ」と呼んだようです。中華圏は「書院」で、「書院」は図書館のことではなく大学のことです。ですから正確には、大学は旅する中世に、世界各地で同時多発的に誕生していたのだと思います。そして、このような歴史的背景のなかでヨーロッパに大学が続々と誕生するのが一二、一三世紀です。

――オックスフォードやケンブリッジも、このころに生まれた大学ですね。

吉見 他にも、中央ヨーロッパにもプラハ大学などが次々と誕生し、一五世紀までにヨーロッパ全土で七〇校以上の大学が設立されました。プラハ大学学長をしていたヤン・フスはすごいと思います。オックスフォード大学教授のジョン・ウィクリフが始めたローマ教会批判を引き継ぎ、ローマ教皇と対立してついに火炙《ひあぶ》りとなってしまいます。この時代の「大学の自由」が本当にすごいのは、「大学の自由」を保障してくれていたのはローマ教皇や神聖ローマ帝国皇帝のような超越的権力だったのですが、それにもかかわらずその超越的権力に真正面から反抗していくのです。まさしく「造反有理」で、そういうとてもラディカルな思想的モメントを、大学は最初から内包していました。

そして、その大学のラディカリズムの根底にあったのが、「旅する知識人」という存立条件だったのです。今日のネット社会と違い、知識を得るには優れた学者がいる、また書物がある都市へ移動する必要がありました。だからみな、そうした場所まではるばる旅したのですが、この旅が自由の感覚を養います。そして、知識人たちのつながりを作ります。その移動のネットワークのなかに「大学の自由」が現れていったのです。

定住よりも移動する人々が集まるのが都市であるなら、大学は典型的な都市です。大学はどのような都市だったのかを考えることが大学論の根本にある。そのことに気づき、「都市としての大学」について考え始めました。同時に興味をもったのは、一六世紀以降、大学が衰退していく背景に出版があったことです。大学自体、知を伝え集積するメディアという面がありますが、ヨハネス・グーテンベルクが発明した印刷技術は膨大で正確な知識の複製を可能にしました。この新しい知識システムが近代知の基盤となります。しかし大学は、なかなか出版を受け入れません。出版産業が勃興し、知の生産と流通の方式が決定的に変化する「知の地殻変動」に直面しながらも、大学は伝統的な体制を変革せず、ラテン語で教え続け、やがて知識生産の最前線という地位を失っていったのです。現代の大学の姿と重なりますね。

日本の大学は何を失ってきたのか

――なるほど。ちなみに、「移動する自由」が大学の根本原理だったとすると、それは日本の大学にどうあてはまりますか。

吉見　あてはまらないのではないですか。日本の大学は、小中高校と上がってきて大学受験があって、その先に就活があって社会人になる。大学は、この単線的な人生の入試と就活の間にある通過儀礼です。つまり、現状では日本の大学は「移動する自由」を前提にしていないし、さほど必要ともしていない。そのようなあり方が大学の基本だと考えられ、そのことが疑われてもいない。これまで述べてきた意味では、日本の大学は「ユニバーシティ」ではないのです。私はこれを「単線的年齢主義」と呼んでいますが、要するにタテ社会の典型ですね。大学は本来、ヨコ型の移動するネットワークのハブとして発達してきたものです。しかし日本では、大学はむしろ人々のタテ型の人生を支える仕組みになっている。この落差は大きくて、ここの考え方が変わらないと、日本で大学改革をいくらやっても、どんどんシンドイことにしかなりません。最初のボタンを掛け違えているのです。

――今日まで続く近代の日本の大学をめぐる問題については、『大学とは何か』の一〇年後に出た『大学は何処へ』で詳しく論じられています。そこに書かれた「日本の『大学』は、実は大学＝ユニバーシティではなかったのだ！」という論は非常にわかりやすいのですが、そのうえで先生が示す「大学のあるべき姿」は、結局のところ、東大とそれに類する一部のエリート大学の話だと思ってしまうのですが。

吉見　そうでしょうか。大学のレベルがまったく関係ないとは言いませんが、むしろ大規模総合大学のほうが乗り越えなければならないハードルは高いと思います。たとえば、私が『大学は何処へ』で示した未来の大学は、東大よりもむしろ国際基督教大学（ＩＣＵ）ですでに実現しています。金沢工業大学の取り組みも面白いと思います。国立大学では、あの本で書いたことは東京工業大学や広島大学が目指している方向とかなり重なります。東大や京大はたぶん一番遅れていて、同じ旧帝大でも九州大学あたりのほうがよほど先進的です。つまり、私の話が「東大とそれに類する一部のエリート大学の話」だと思うのは、東大や旧帝大に過剰な幻想をもつ人々が抱きがちな偏見なのではないでしょうか。日本の高等教育全体をだめにしてきた根本が、そうした偏見です。東京大学を頂点とするピラミッドを支えてきたのは、そのような偏見の全国的な積分で、それが一元的な偏差値信仰を不動のものとし、受験産業を儲《もう》けさせてきたのではないでしょうか。

私は、昨今の日本の大学の、とりわけ学部教育に欠けているのは、水平的なカレッジの思想だと思います。それは、分野横断的なリベラルアーツの思想を含みます。つまり、日本の大学の学部教育にとっては、高度な専門知識以上に、学生生活の共同性も含み込んだカレッジ、そこでの深いリベラルアーツの再生が不可欠です。私の本のなかでは、オックスフォード大学教授の苅谷剛彦さんと対談した『大学はもう死んでいる?』で議論したことのひとつに、教師と学生の協同組合であるカレッジの重要性があります。ユニバーシティが大規模化している現代でも、欧米の大学では、「教師と学生の共同体」のエッセンスがカレッジや学寮の伝統に残っていると言えますし、しばしばそのカレッジの伝統をうまく活かしていると思います。

教育と研究の場である大学で、カレッジが教育を担うのに対し、研究を担うのはファカルティです。カレッジをリベラルアーツ的な横断知の空間と呼ぶならば、ファカルティは「法学部」「工学部」など専門によってタテ割りに構造化されている空間ということになるでしょう。両者のバランスはとても大切なのですが、ファカルティが異様に強く、学部が大学以上に自治権をもっているのが日本の大学の特徴です。そして、大学が大きければ大きいほど、ファカルティと異なる原理であるカレッジが成立することは難しくなるわけです。このようにバランスを著しく欠いている日本の大学の構造が、大学改革を難しくしている原因のひとつです。

ちなみに、みなさんの多くが巣立った東京大学大学院情報学環・学際情報学府は、この点である重大な限界にぶち当たったと、私は思っています。学際情報学府が誕生したとき、それはいわば大学院レベルの全学横断的な教育研究組織、つまり大学院カレッジを目指していたのですね。ところがこの挑戦はさまざまな障害にぶつかり、だんだん内部にも横並びの意識が浸透していって、他の大学院研究科と同じようにするのがいいのだという考えが教員にも執行部にも支配的になったと私は感じています。でも、これは実は本末転倒です。もうこれ以上話すとどこから矢が飛んでくるかわからなくなるのでやめますが、タテ型組織であるファカルティの圧倒的な強さという問題は、実はみなさんとも無縁ではないのです。

——先生は学環長だったじゃないですか。どうにかできなかったのですか。

吉見　もちろん、私にも責任があります。しかし、どうもがいても、たぶんもっと大きな組織的な力でどうすることもできなかったのです。それが、日本の大学の本質です。

――たしかに、多くの日本の大学では、入試も含めてファカルティがすべてを抱え込んでいます。

吉見　それが久しく日本の大学の前提になってきたので、組織が硬直化するのです。こうした大学の姿は、「変わらなければ」と盛んに叫びながら、変化にともなう動揺を恐れてタテ割りの仕組みを壊せないまま停滞を続けている日本社会そのものの姿だと思います。

――日本の大学改革のひとつとして大学院重点化がありましたが、今の話で言えば、むしろファカルティを強化し、日本の大学をますますユニバーシティから遠いものにしてしまったことになります。

吉見　大学院重点化は、グローバルな大学間競争に対応しようと一九九〇年代におこなわれた新自由主義的大学改革のひとつです。大学院数や院生定員を大幅に増やしたことで、大学院の定員が埋まらなくなり、入学のハードルがどんどん低くなって大学院のレベルダウンを招きました。しかし、多くの大学教員は「大学院で自分の専門を研究できる」と当初は歓迎していたのです。本当は、東大や早慶が本当に研究型大学院大学になることを目指すのなら、学部をなくして大学院大学にすればよかったのだと私は思います。ところが実際には、学部の上に直列で乗るような仕方で大学院研究科が重点化されていきましたから、学部単位のタテ割りが大幅に強化されました。これは、大学のグローバル化をますます難しくする仕組みです。意図したことと結果が逆になった典型的な例です。

最大の問題は、日本の高等教育が高度に単線的なタテ割りであることです。それは非常に整然としたタテ型のピラミッドで、そのすべてを偏差値というたったひとつの数字が貫いています。そこに、人々の価値観が一元化されてしまっているのですね。この仕組み全体が、二一世紀の社会にもうまったく適合していないのです。本当に日本の高等教育をなんとかしたいのならば、この単線的なタテ割りの仕組みを根底から変えるべきです。あまりにも単線化している教育の仕組みを脱構築して、もっと複線的な経路、大学院大学もあれば高等専門学校もあり、複数の大学を旅していくような経路もあり、それぞれの若者のキャリアパスにあわせて多様な人づくりの仕組みが整備されていくべきです。

——そうすると、先生の大学論はこれから高校まで広がっていくことになりますか。

吉見　うーん、もう大学論から離れて都市の路上に向かうのが基本路線なのですけれどもね。大学は、難しいですね。どうなっていけばいいかははっきり見えていますが、あまりにも既得権益を守りたい人が多いので、しばらくは何も変わらないでしょう。でも、この先いつ大学が大変化していくことになるかはもうわかっています。それは、確実に一八歳人口の劇的減少と相関するはずです。日本社会は鈍い社会ですから、いくら頭でわかっていても現実に危機がこないと何も変わりません。そして現実に危機がくると、ものすごいスピードですべてが変わっていく。次回もたぶん、このパターンをとるでしょう。そして日本の大学の未来にとっての「黒船」は、間違いなく一八歳人口の減少です。

今どきの学生に大学は「役に立つ」のか

――先生が『「文系学部廃止」の衝撃』（集英社新書、二〇一六年）で、「文系は役に立つ」と言いきられたことには異論はありませんが、しかし実際に目の前にいる文系学部の学生にとって「大学が役に立つ」とはどういうことか、やはり考えてしまう現実もあります。ほとんどの学生にとって、大学は「大卒」の資格や就職に使える「ガクチカ（学生時代に力を入れたこと）」を得るために行くところになっているかもしれない。そんな彼らが「高い学費を払っても、大学で学問に触れられてよかったな」と思えるためには、どうすればいいんでしょうか。

吉見　今の質問に答える前にひとつ聞いておきたいのですが、では、理系ならば大学教育は役に立っているのでしょうか?

――おそらく世の中では、そう思われていますね。文系より理系のほうが就職もよい、と。

吉見　しかし、一九九〇年代末からですが、工学部の学生が大学で学ぶ分野と実際に就職する職場の分野が全然対応しない傾向が顕著になっています。就職後、専門を活かせているかという点では、文系のみならず工学系も大学で学ぶことがどんどん役に立たなくなっているのです。それでも国の政策では、「役に立つ」人材を育成するために、大学で先端的なデータサイエンスや理系の教育をもっとやれと言っていますね。ITやデータサイエンスの教育を大学教育に導入すること自体に私は反対ではないのですが、しかし、だからといってそれで本当にそれらの教育を受けた学生が、その教育を活かす職に就けるわけではありません。昔のプログラマーのように、教育が技能研修的なものにしかならない可能性もあります。

要するに、そうしたことが必要だとしても、それが大学の本領ではないのです。私はAIが人間の知的想像力を超える日がくるとはまったく思いませんが、しかし比較的複雑な事務労働のかなりの部分は、これからAIに取って代わられるでしょう。専門知識の比較的単純な応用力だってコンピュータは人間を凌駕《りょうが》するはずです。そうした技術革新にあわせて社会基盤が整備されていけば、かなりの職種がたしかに消える。そんな未来がもうすぐ先に見えてきているときに、「役に立つ」知識とはいったい何なのでしょうか？　本当は、「すぐ役に立つ」特定の先端技能を身につけさせるために大学があるのではありません。

――おっしゃることは、よくわかります。ただ、ずっと東大の大学院で教えてきた先生にはわからないかもしれませんが、学生たちにそういうたくましさを身につけてもらおうと、たとえば議論する力を鍛える機会を増やしたり、自由に発表する機会を作ったりしても、「目立つのは嫌だ」「意識高い系に見られたくない」と思っている学生には伝わりにくいんです。

吉見　つまり、吉見の大学論は高踏的すぎてエリートでない大学生には役に立たない、という批判ですね。しかし、今、言われた「目立つのは嫌だ」「意識高い系に見られたくない」というのは、その学生の知的能力がどうかではなく、高校までにその学生がどう育てられてきたかに由来するのではないですか？　つまり、ここ三〇年間くらいの日本社会、そして教育全体に問題があって、その結果、多くの大学生からチャレンジ精神のようなものが消えてしまった。

実際、おっしゃられた大学生の間でのたくましさの喪失は、エリートも含めて広がっている現象だと思います。直感的には、高校段階までの教育で、たとえば「国語」を「演劇」に変えてしまうとか、「社会」をフィールドワークに変えるとか、大学入試を高三の夏に前倒しし、高校と大学を実質的に連続化するとか手をいろいろ打っていくことで、ごく普通の大学生がもっと積極的になっていくようにする方法はあるはずです。あるいは今、世界で注目を集めている全寮制のミネルヴァ大学のように、オンライン教育を徹底させつつ、世界各地に学寮を用意し、それらの学寮のある都市を学生たちにめぐらせていく。それらの都市で学生たちをNGOだとか、インターンだとかに参加させ、現実の問題状況に直面させていくというのもひとつの方法でしょう。私は大学生が積極的になるために、専門的な知識が必要だとはまったく思いません。彼らが学ぶことに積極的になれないのは、社会的に困難な問題状況に直面する、あるいはその中に身を置く経験が少なすぎるからでもありそうです。

――かつての日本の大学にも、学生の溜《た》まり場《ば》的な場所がたくさんあって、そこで知的なコミュニティが成立していたのだと思いますが、今の大学は建て替えなどできれいになった一方、そうした空間がほとんど排除されてしまっています。一応、カフェやアカデミック・コモンズといった、学生たちが自由に何かをするためのスペースが用意されてはいます。でも、今の大学生は本当に忙しくて、学内でコミュニティを作る時間がそもそもありません。昔の大学生と違って、大学にはよく来ているし、授業にもきちんと出席するのですが、とにかく現代の日本の大学生は忙しい。

吉見　わかりました。

――えっ、何がわかったんですか。

吉見　どうすれば学生たちにとって大学が役に立つものになるか、ということです。

まず、キャンパスから溜まり場になる場所が消えていっていることを憂うなら、みんなで大学の外に出て行けばいいではないですか。どうして大学のキャンパス内部、それから教室にとどまることにこだわるのですか。私は、教室やキャンパスよりも都市の路上のほうが、大学生たちが学べることはよほど多いと思います。それから、学生たちの忙しさを軽減するには、科目の数を圧倒的に減らさなくてはなりません。とにかく、日本の大学は科目の数が多すぎるのです。『大学は何処へ』にも書きましたが、学生たちの「忙しさ」を解決するためには、学生が履修する授業の科目数を今の半分以下に減らさなければならないということです。今、大学一年生だったら一週間の履修科目数は一〇から一四科目くらいでしょう?

――一年生だったら、二〇科目ぐらい取っている人もいます。今の若者はコスパ意識が高いし、そもそもまじめなので。

吉見　世界のどこにも、大学でそんなにたくさんの科目を同時に履修させる国はありません。明治以来、知識の効率的な注入を軸にカリキュラムを設計してきたから、その習慣から抜け出せていないのです。学生の学びの実質を軸にするなら、一学期の履修科目数は六科目を超えるべきではありません。半分どころか、現在の三分の一です。それを少人数でする仕組みにしていけば、今よりはるかに実質的な教育ができます。

大学教育はそもそも、多くの日本の大学で制度化されているような広く浅い学びではないことを、改めて確認するべきです。教師と学生の密な関係を築き、知的トレーニングをしていくには、一学期につき一科目を四単位以上にし、それぞれの科目で一週間に二〜三回、授業が開講される。現在のゼミのような科目が並ぶ仕組みにすべきなのです。そうすれば、学生は集中的に深く学ばざるをえなくなる。同じ教員と学生がともにする時間は現在の三倍近くになります。こういうカリキュラムになると、大学の「科目履修」の意味が大きく変わりますね。カリキュラムの構造化を、形式的に示すのではなく実質的に組織することになるでしょう。

――おっしゃる通りですが、それをやるためには少人数教育のための教室の数がもっと必要になりますし、海外の大学のように訓練された院生などの補助教員から成るTA（ティーチングアシスタント）もいないといけません。そういうコストをかけられない大学も多いでしょうし、もともと博士課程の院生が少ない大学ではTAの確保が難しいことも考えると、結局、東大のような大学でないと無理なんじゃないでしょうか。

吉見　いやいや、東大は一番難しいでしょうね。現実にはいろいろな問題があって、簡単にはいかないのはわかっています。でも、たとえばTAの問題にしても、大学間の横断的な連携を強化していけばなんとかなるはずです。私たちは、科研費の共同研究は大学を越えて、かなり横断的にやっていますよね。同じように、博士課程やポスドクの若手研究者の初期キャリアについても、大学横断的な仕組みを作っていくべきです。それぞれの大学が、タテ割りタコツボでやっていける時代ではありません。その発想をやめなければ、日本の多くの大学は一八歳人口の急激な減少に対応できず、潰れていくでしょう。研究だけでなく、教師も、TAも、そしてとりわけ学生も、複数の大学に所属して、自分が探究しようとするテーマにしたがって大学や学部、指導してくれるシニアの先生方の間を渡り歩いていくべきなのです。

その際、忘れてならないのは、学生にとって「大学が役に立つ」というのは、大学が提供するコンテンツの種類の問題ではないということです。大学が、特定の専門知識によって社会の「役に立つ」という認識には誤りがあります。そうではなく、大学はそれ自体が一種のパフォーマンスなのであって、知的演技力のある俳優たちを育てているのです。優れた俳優は、さまざまなジャンルの知識の体系を自分のものとして演じていくことができます。

上演論的に言えば、個々の授業はもちろん、大学のカリキュラム全体も一群のドラマの集合体です。ドラマというものは時間を構造化することによって成立しているパフォーマンスですから、大学において時間がどう構造化されているかが重要です。そのドラマの上演において、学生たちは決して観客ではなく俳優です。大学という知の舞台において、学生たちはまだ新米の俳優ですから、彼らが自分たちでシナリオを作り、演じられる俳優になっていくためには手助けが必要です。その役割を果たすのが、大学教員なのです。

——逆に、自分たちが俳優だと思っている教員も多そうですね。

吉見　それは大いなる思い違いですね。教員は演出家であり、ときには劇作家でもあるでしょう。しかし、決して舞台の上で演じられるドラマの主役ではないはずです。学生たちが主役を演じていくための仕掛け人です。他方、ＴＡはベテランの脇役として主役の学生を引き立てる重要な存在です。上演論的な比喩で言えば、教科書やシラバスはシナリオに喩《たと》えられます。トータルに舞台を成り立たせるためには、他にも、学内のネット環境を整備したり、コモンズのような空間をデザインしたりする舞台装置家も必要ですね。

大学教員＝「哀れな労働者」？

――同じような質問になってしまうかもしれませんが、問題山積の日本の大学で、大学教員にはいったい何ができるとお考えですか。

吉見　まずすべきなのは、今、申し上げた大いなる思い違いをやめることでしょう。教員は舞台上のドラマの主役ではないし、彼らが教える専門知識の内容それ自体が学生にとって価値があるわけでもたぶんない。そういう発想をやめて、学生がその大学や学部で何を身につけることが、その学生の未来にとってベストなのかという視点から、カリキュラムを見直すことはできるのではないでしょうか。おそらく、そうした授業のためには充実したアクティブ・ラーニングや学生の授業参加が必要です。しかし、それを実質的なものにするには、今の日本の大学はあまりにも履修科目数が多すぎます。ですから話は単純で、思い違いをやめる出発点にあるのは、それぞれの大学で学生が一学期に履修する科目数を劇的に減らすことです。

そして次にすべきことは、それぞれの先生方の長期休暇期間の劇的拡大です。海外の大学と日本の大学の大きなもうひとつの違いは、一年のなかでの休日のあり方です。世界のどこでも、一年は一二か月で、一セメスター（学期）は四か月、それがふたつありますから学期期間は八か月です。したがって、休日は合計四か月分あるわけですが、日本と海外でその振り分け方が違う。海外の大学は、概して休みを大きく取ります。日本の大学は、だいたい細かくたくさん取ります。しかし、知的生産性という観点からは、大きく取ったほうがいいのですね。なぜなら、長い休みは、発想の転換を可能にします。かつてヨハン・ホイジンガが見事に言い当てたように、知的創造は「まじめ」からではなく、「遊び」から生まれるのです。

ですから、大学は本来、「勉強の」場所という以上に「遊ぶ」場所でなければなりません。それが、大学の理想像です。そのためにはまず、教師が「遊ぶ」存在にならなければならず、それには「長い休み」が必要なのです。今の大学教育の質を維持しつつ、各教員が毎年、五か月以上の休暇を確保する仕組みを構築することは工夫すれば可能です。学事暦上の大きな改革をともなうので、最初は非難されます。それが心配で誰もやらないだけです。

――現実の大学教員の仕事には、知的エリート的な側面とともに、労働者的側面の両方があって、どこにアイデンティティを置いているかは、それぞれの教員によって違うと思います。むしろ、労働者としての側面を優先する教員が多いほうが、実は大学はまわるというか、みんなが知的エリートの部分だけを追求したら、ちょっと大変なことになってしまいます。

吉見　全然、違いますね。日本の大学は、もっと大幅に分業化すべきです。つまり、教員の権限も役割も、大幅に縮小できるということです。管理運営や事務・労務などの実務に従事する職員をもっと専門化し、その専門化した職員は、各分野において教員の意見を聞かずに独自に意思決定できるようにするのがいいと思います。日本の大学は、そうした分業化や専門化ができていないので、過剰に多くの事務手続きや専門外の意思決定を教員がすることになっている。大学教員は、研究と教育のプロですが、それ以外のことについてはシロウトです。しかも、あまり有能ではないことが多い。実際、多くの大学教員が忙殺されている実務は、本来は大学職員が専門化していれば、彼らがもっと有能に担える仕事が多いと思います。*3

――実務はそうかもしれませんが、大学教員の労働者的側面について、先生は『大学とは何か』のなかで次のように書いています。「哀れな大学教員たちは『お客様』たる学生を『店』に誘い込む客引きとなり、彼らに教育サービスを提供する労働者となった」……しかしこれは、そんなふうに自嘲的に言うようなことでしょうか。

吉見 おっしゃりたいのは、「客引きのどこが哀れなんだ」ということですか？ 教育サービスの提供に大学教育の真髄があると言われているのでしょうか？ 私は全然そうは思わないですね。私は、ここ数十年の新自由主義的規制緩和とそのなかでの大学増や学生定員増で、大学教員の価値がひどく低下したと思っています。本当はもっと高い潜在的可能性があるのに、あまりにシステムが悪いので、そうした可能性を潰し、経営だとか、コンプライアンスだとかの論理を優先させてきた。「人を育てる」というのはどういうことかが忘れられてしまった気がします。実際、大学が育てなければならないのは、学生もそうですが、若手研究者もそうです。そのためにシニアの教員も大学にいるのです。

自分に引き寄せて言えば、長年、大学で教えてきましたから、社会学であれ、カルチュラル・スタディーズであれ、メディア論であれ、都市論であれ、こういう分野の授業をするにはどういうやり方があるかはだいたいわかります。それを大人数の学生相手に演じてみてもいいのですが、本当は日本の大学にチームティーチングの仕組みがあれば、私のやり方から若手がいろいろ学ぶこともできるでしょう。大学は、本当は学生と教員の両方が育っていく基盤になりうるはずなのに、まったくそうはなっておらず、むしろ両者を疲弊させる仕組みになっている。全体として、ここ数十年の社会設計の誤りです。

現状の仕組みをなんとか維持するために、大学教員を教育労働者のように使っていくのは大きな誤りです。同時に、大学の意思決定の中枢を教員だけが専有するのも誤りです。本当は、大学の概念を変えるべき時期なのです。そのためには、履修科目数を圧倒的に減らすことや、TAを大学横断的にプールし、非常勤講師依存からチームティーチングに体制転換していくことや、専門分野ではなくリベラルアーツに大学教育の主軸を大胆にシフトすること、さらには学生も教員も、ひとつの大学やその学部、学科に囲い込まれる体制を転換させていくことなど、できることはいろいろあるはずです。

多くの大学で、先生方は忙しすぎると愚痴を言っています。でも、それはまだブツブツ愚痴を言っている段階で、現状では大学の仕組みは変わりません。仕組みが変わらない限り、愚痴は愚痴でしかありません。一八歳人口の激減で、多くの大学がもうどうにもやっていけなくなったとき、私は何かドラスティックな変化が起こると思っています。そのときに、大学を単にリストラするのではなく、大学のあり方全体を変えるような、つまり新制大学の仕組みを大きく転換していくくらいの取り組みが必要なのだと思います。

——先生にとっては、研究者を育てることがイコール新しい職業人を育てることだったと思いますが、私立文系で研究者になろうという人はほぼいませんし、いたとしても、「いや、ちょっとやめたほうがいいんじゃないか」と言わざるをえない状況があるわけです。今や大学は「束《つか》の間《ま》の休息」や「レジャーランド」どころか、学生たちは一、二年生の時期から研究や知的研鑽《けんさん》をよそにして、とにかく就活を意識せざるをえません。ですから、なんとかまっとうな社会人として生きていけるように「教育サービスを提供する」ということは、大学教員のミッションとしてあるし、あるいは大学によっては否定し難い仕事のひとつだと思うんです。

吉見　「教育サービスを提供する」ということで何を言いたいのか、やっぱりわかりませんね。教育はサービスではありません。それは、大学の偏差値とは関係なくそうです。それを「サービス」だと思ってしまっているのは、それだけ新自由主義的価値観にどっぷり毒されているからではないですか。いずれにせよ、私はそのようには考えない。

もしも本当に高等教育が何よりも学生たちのキャリアのためだけにあるのなら、大学は一部を残して廃止に向けた政策を進めるべきです。就職後のキャリア形成のためだけなら、大学という仕組みは効率が悪すぎます。大学を減らし、高等教育の中心を高等専門学校にシフトすべきです。そのほうがよほど効果的だし、社会全体の生産性も向上します。これからの日本社会の急激な人口減を視野に入れるなら、大学のかなりの規模縮小は現実的です。本当は、かなりの数の大学がもう大学でなくていいのかもしれません。今おっしゃられた就活的価値からするならば、大学が最適の高等教育のモデルでは必ずしもない。

それでもなお大学が必要だとするなら、大学の中心軸を改めて横断的なリベラルアーツに置くべきです。工学であれ、社会学であれ、専門教育は大学の中心的価値ではありません。大学教育における軸の転換は、旧帝国大学よりも、カレッジ的な学部教育の仕組みを発達させてきた中堅大学でこそ重要です。大学という概念は複合的な概念ですが、今の日本の高等教育では何よりもカレッジ機能を強化していく必要があると思います。

――最後に、未来の大学についての先生の考えをお聞きしたいと思います。大学は都市である、だから先生は大学を研究するのだということでしたが、社会がデジタル化し、大学もオンライン授業が増えていく時代に、大学は都市として自由な学知を生み出す場であり続けられるのか。ネットは、少なくともメタバースは、リアルな場になりえないとおっしゃっている先生は、どう見ていますか。

吉見　コロナ禍で、大学の授業のオンライン化が一挙に進みましたね。大学の授業にはオンラインにしてしまったほうがいいものもあれば、そうしてはいけないものもあって、オンライン化が良いとか悪いとかは一概には言えません。たとえば、統計学入門だとか経済学入門、あるいは社会学入門などの本当は標準化されたほうがいい科目は、ＭＯＯＣｓ（大規模公開オンライン講座）の方式で、教えるのが非常に上手な先生がオンデマンド科目を制作してしまい、理解度を確認するクイズの解答への対応もＡＩに任せ、何校かの大学を連携させて数万人を相手にする授業を作っていけばいいはずです。知識中心で、その知識が標準化されている場合、大学ごと、学部ごとに授業を作っていく必要はない。

他方、大学教育の本質はそこにはありません。本当に面白い授業は、そうしたスタンダードからはみ出すことによってこそ可能になるのであって、そこはそれぞれの大学、学部の先生たちがチームないしは個人で作っていく必要があります。それも大教室でやったほうがいい授業と少人数でやったほうがいい授業に分かれますが、これは必ずしもオンラインと対面の区別に対応しません。私は大教室での対面授業が嫌いではなくて、一五〇人くらいまでならば、実空間でしたら対話的な授業が十分に成立すると思っています。しかし、オンラインでその人数の対話的授業を成立させるのはたぶん不可能です。他方、少人数授業でも、対面でするよりもオンラインのほうが実質的な場合もあります。しかしそれは、決してオンデマンド配信型ではなく、同時双方向型のオンライン授業です。

つまり、大人数と少人数、対面とオンライン、講義型とフィールド型、大学の講義にはさまざまな種別があり、その組み合わせは多様ですが、それを科目ごとに振り分けていく際、何がポイントかというと、その授業において何を教師と学生が共有することが肝要なのかです。もし、標準化された知識を学生全体に共有させることだけが目的ならば、授業は超大人数、一方向、オンデマンド型のオンライン授業でもいいのです。しかし、教師と学生が同じ時間を共有し、その共有のなかで対話を実現していくには、少なくともオンライン授業でも同時双方向でなければならず、その場合には参加人数がかなり制限されます。さらに、共有されるのが対話だけでなく、その場の雰囲気も含め、人間相互の共同性のようなものであるなら、対面授業が必須となります。ですから問題は、対面はよくてオンラインはだめということではまったくありません。そうではなく、大学とは教師と学生、あるいは学生と学生が何を共有していく場であるのかという共通認識をまずはっきりさせ、それに応じて多元的に方法論の組み合わせをしていくことなのだと思います。

いうまでもなく、この話は場所的な都市とバーチャルな都市の関係に対応します。インターネットの発達でオンラインでも大人数の双方向的コミュニケーションが当たり前となり、私たちはネット上にあたかも都市が成立しているかのように感じています。そうした経験の端緒が電話コミュニケーションにあったことは、かなり以前に『メディアとしての電話』や『「声」の資本主義』で論じた通りです。しかし、バーチャルな都市は、私たちが経験する都市のひとつの次元にすぎず、今後もそれ以上のものにはならないし、またなるべきでもないのです。私たちは、リアルな場所としての都市に集い続け、そこで飲んで騒いだり、集会を開きデモ行進をしたり、大道の見世物に興じたりし続けます。この都市の根本的なありようは、私は二一世紀、二三世紀になっても変わらないと思っています。人類の日々の営みのすべてがデジタル空間に吸収されてしまうことはありません。

——まわりまわって、先生が一貫して都市を問うてきたというところに戻ってきましたね。われわれの議論も、このあたりでそろそろ終えることにしましょう。

終章　東大紛争　1968―69

前口上

本日は私の最終講義のために、本当に多数のみなさまにお集まりいただきありがとうございます。私は今、東大安田講堂の舞台に立っています。今から五四年前、まさにこの場所で、安田講堂を占拠する学生と投入された機動隊の激しい攻防戦が繰り広げられました。その後、この衝突は、それまで約一年に及ぶ東大紛争の、また六〇年代半ばから燃え広がった学生運動全体の結末をも象徴するものとして、多くの衝撃的な映像とともにメディア上で再演され続けました。それから半世紀以上を経て、今日、この安田講堂、つまりあの事件の現場で最終講義をすることで、私はかつての出来事のメモリー・ランドスケープ、ピエール・ノラの言う「記憶の場」を立ち上げることに挑戦してみたいと思っています。*1

現在、この講義は約一二〇〇人の方々によりリアルタイムでオンライン視聴されているそうです。一二〇〇人というのはこの安田講堂を満杯にする数です。つまり今、この安田講堂は実空間としては空っぽなのですが、バーチャルには満員なわけで、そうしたみなさまと今日は、「東大紛争」というドラマを演じ、紛争後にメディアが語り続けてきたステレオタイプ化した物語としてではなく、舞台の背後や周辺にあった複数的なドラマを呼び起こしてメディアの語りを異化していくような、そんな一人芝居とすることに挑戦してみたいのです。[*2]

第一幕第一場[*3]

それではまず、なぜ私が最終講義のテーマとして「東大紛争」を取り上げるのかというところから話を始めさせていただきます。私が東京大学に入ったのは一九七六年、つまり紛争の残り火もほぼ消えかけた時代でした。それから四七年間、私はこの大学にいたわけですけれども、振り返ってみると、一〇年ごとに転機が訪れていました。

一九七六年から八七年まで、私は演劇青年でした。演劇、ドラマという視座から、世界を、社会を、そしてとりわけ都市をいかにクリティークすることができ、また再想像することもできるのかを必死に模索していました。その作業の総決算が、最初の本の『都市のドラマトゥルギー』でした。一九八七年、旧東大新聞研究所に助手として採用され、それから一〇年は、メディア論や都市論の若手研究者として多方面の仕事をしたと思います。一九九六年に、カルチュラル・スタディーズの大きな国際会議を開きます。それがきっかけとなり、海外で同じようなことを考えている友人たちと知り合って、日本以外での仕事が九〇年代末から二〇〇〇年代にかけて増えていきます。それまで日本のなかで自分一人で考えたり書いたりしてきたことを、国外から見返すことを始めたわけです。

二〇〇六年、大学院情報学環長に選ばれてしまい、それからまずは三年、一転して大学のアドミニストレーションに集中しました。学環長退任後も、濱田純一《はまだじゅんいち》先生が東大総長に選ばれたため、濱田先生の下で東大全学の教育改革に携わりました。二〇一五年ごろに、そうしたアドミニストレーションのほぼすべてから外れますから、再び原点に戻って、都市の路上から近代を問い返す仕事を、この六、七年、続けてきました。

したがって、私の最初の二〇年間と最後の六、七年は直結しています。人生は誰であれ螺旋《らせん》の軌跡を描くものなのです。私にとっては、最初の二冊、一九八七年の『都市のドラマトゥルギー』と九二年の『博覧会の政治学』が重要な本です。前者では、都市を〈上演〉される／するものとして捉え返すという作業をしました。この作業の延長線上に最近のいくつかの仕事、たとえば『五輪と戦後』や『敗者としての東京』があります。

他方、『博覧会の政治学』では、〈まなざし〉の地政学ということを考えました。〈まなざし〉の概念を軸にコロニアリズム批判と消費社会論をつなごうとしたのです。最近、このような仕事の延長線上で、『視覚都市の地政学』と『空爆論』を書きました。

そして、ここではっきり申し上げておきたいのは、これらの軸線上でおこなわれていく研究は、東大を去った後もまだまだ続く、まだ終わらせるつもりはないことです。つまり、自分の研究人生という点では、今日のこの講義は決して「最終」ではないわけです。

では、この講義は何の「最終」なのか。もちろん、「東大教授」としての吉見俊哉の「最終」です。つまり、「東大教授」としての私は、今日、この瞬間に終わります。だとすれば、「私」と「東大」の関係に決着をつけておかなければいけないと思いました。

自分がこの大学でどういうふうに過ごしてきたかを振り返ってみると、東大は間違いなく非常に巨大な「タテ型組織」なのですけれども、ずっとこの「タテ型組織」に周縁部から横串を刺そうともがくような仕方で歩んできた気がします。

学生時代は、旧駒場寮の裏にあった駒場小劇場と呼ばれる倉庫のような場所で長い時間を過ごしました。その駒場キャンパスには留年も含めて五年いたのですが、教養学部教養学科を卒業し、本郷に来る手前で六本木の旧近衛《このえ》師団兵舎を使っていた生産技術研究所にいたこともあります。そして、本郷で大学院生活を過ごした後に採用されたのは旧新聞研究所でした。その新聞研が、今は、福武ホールもある情報学環に変わっていくわけです。駒場、それも駒場寮裏の倉庫、六本木の生産技研、本郷の新聞研に福武ホールと、地理的にも東大のキャンパスの辺縁を歩んできた面が私にはあります。

では、そうした中心のなかの辺縁という場所は、どういう場所なのか。一言で言うなら、それは参与的な観察に適した場所です。ですから私は、東京大学を参与観察する、しかも四七年間にわたってすることを試みてきたのだと言えなくもない気がします。

私はこれまで、大学についていくつかの本を書いてきました。二〇一一年に出した『大学とは何か』は、大学の歴史についての本です。そして、比較的最近出した『大学は何処へ』は、大学の未来についての本です。それ以外にも、状況への発言として、『「文系学部廃止」の衝撃』とか、『大学はもう死んでいる?』とか、『大学という理念——絶望のその先へ』(東京大学出版会、二〇二〇年)とかいった本を出しています。しかし、東京大学自体については直接的には論じていません。どうやったらそれが論じられるのか。また、いかにして東大の参与観察をしてきた自分を振り返ることができるのかは、未解決の問いとして残されてきました。

というのも、この問いに答える鍵は、「東大紛争」をいかに語るかにあると思っていたからです。「東大紛争」は、東大が東京帝大の時代から抱え込んできたさまざまな矛盾や困難を一挙に露呈させただけでなく、戦後に推進されたふたつの大きな「改革」の時代のターニングポイントに位置する出来事でした。

すなわち最初の改革は、一九四五年から五七年まで続いた南原《なんばら》=矢内原《やないはら》改革です。南原繁《しげる》先生も矢内原忠雄《ただお》先生もクリスチャンです。つまり、キリスト教的な自由概念を基軸に、戦後の東大を帝国大学からリベラルアーツ大学に変えていくことに彼らは挑みました。[*4] そして二番目の改革は、一九九〇年代以降起こってくる上からの改革です。大綱化・大学院重点化・国立大学法人化、これらをセットとする大学改革が九〇年代以降に文部省（当時）主導で起こってきます。[*5] 東大紛争は、このふたつの動きのターニングポイントで起きた出来事です。そこで何が終わり、何が始まったのかを見極めることは非常に重要です。

第一幕第二場

しかし、もうひとつというか、このこと以上に、私が今日、東大紛争の話をしようと思った最大の理由は、私が長年過ごした旧新聞研究所と東大紛争の、あまり知られていないけれども密接な関係です。そこで、今日は、まずこの関係から話を出発させましょう。

東大紛争と旧新聞研究所の深いつながりの第一は、こちらにある『東大紛争の記録』と題された本です（図版①）。この本は、一九六九年一月一五日、つまり「安田砦《とりで》の攻防」の直前に出版されています。この本をまとめたのは当時の新聞研究所助手、今でいう助教の若手研究者たちです。田村紀雄《のりお》先生という、後にミニコミやローカルメディアの研究で多くの仕事をされ

①『東大紛争の記録』東京大学新聞研究所東大紛争文書研究会編、日本評論社、1969年

る方が中心になって、新聞研若手が東大紛争全体をコミュニケーション過程として捉えようとしました。つまり彼らは、東大紛争の内部には、「大学各階層・諸潮流・諸集団内部での民主的討論や合意のためのコミュニケーション問題、大学全体でのコミュニケーション過程、その手段や内容を誰かが系統的・組織的に理論化する」課題など、幾層ものコミュニケーション問題があると考えました。[*6] ですから、コミュニケーション研究の現場として東大紛争を捉えることにより、その闘争の諸局面で浮上した問題を理論化できると考えたのです。そのため、彼らは闘争から生まれた声明とか決議とかビラとか「時計台放送」とか掲示とか立て看板とか交渉記録を広く収集し、コミュニケーション過程としての東大紛争を記録していきました。

ふたつ目の理由。それは、この新聞です（図版②）。「進撃」と題されたこの新聞は、安田講堂を占拠した全共闘が不定期ですが出していた新聞です。かなり本格的な新聞で、広告も取っていますし、社説にあたる「主張」とか、コラム記事とか論説とか海外情報とかしっかりしています。私はかつて東大新聞社の理事長をしていましたが、この新聞は昨今の「東大新聞」よりもレベルが高いかもしれません。実は、この新聞を発行していたのは、当時の新聞研究所の研究生たちでした。かつて新聞研の研究生はジャーナリストの卵の集まりで、その彼らが紛争中は全共闘の広報係も担当していたのです。ですから新聞研研究生のジャーナリスト的能力の

進撃

暁の代議員大会
全共闘結集決める

連日三百名で
無期限団交！

全学バリケードへ
戦線着々と進む

主張

全学コミューンへ向け
怒濤の進撃を開始せよ

騒乱罪適用粉砕
強固な戦列をかためよ

三一書房
東大
大学紛争の原点
東大は滅亡する！
真の解決とはなにか！

反戦青年委員会

二等兵シュベイク

ゲバラ日記

三一書房
★反戦と真理の探究に賭けた戦後青春の栄光と挫折の記録
資料戦後学生運動

②「進撃」創刊号、1968年11月9日

証明が、この新聞だったわけです。

そして三つ目の理由は、所美都子《ところみつこ》さんです。一九六〇年代の半ば、所さんは当時の新聞研究所の中心的な研究生の一人でした。もともと所さんは、お茶の水女子大学で植物学を学び、一九六〇年安保にかかわることで、ベトナム反戦運動にも深くコミットしていった人です。大阪大学やお茶の水女子大理学部で微生物研究をしていくのですが、膠原病《こうげんびょう》という難病を抱えていることが明らかになり、自分の命がそう長くないことを知ります。まもなく新聞研の研究生になり、研究生の入試で書いた答案を発展させて「予感される組織に寄せて」という大変重要な論文を書きます。さらに同じころに、山本義隆さんや最首悟《さいしゅさとる》さんと東大ベトナム反戦会議を組織します。これが、東大全共闘の原型になります。

東大新聞研究所（現情報学環）は、その基盤が、日本のジャーナリズム研究の草分けだった小野秀雄の新聞学講座設置の熱情と、「新聞学なるものの学問としての性質」が帝国大学の講座としては不適当としてこれを拒絶した文学部教授会との壮絶な衝突の狭間《はざま》から生まれた組織です[*7]。この葛藤と調整の過程で、東京大学の内部ながら内部でないような「新聞研研究生」（「大学院研究生」とは異なる）という特殊な制度が生み出されていました。この研究生制度は戦後も続き、東大生であるなしにかかわらず独自試験で東大新聞研研究生になれる（つまり、東大生になれる）という特異性から、一九六〇年代には諸大学の学生運動家たちが正式に東大に潜り込めるルートとしても活用されていたようです。新聞研側も、教員たちのなかには日高《ひだか》六郎や香内《こううち》三郎、荒瀬豊など左派学生運動に共感的なメンバーが多かったので、必ずしも組織が運動家たちを抱え込むことを拒絶はしなかったはずです。所美都子さんもそうしたなかで新聞研研究生となった学生運動家の一人でした。[*8]

しかし、入所から二年弱を経て、一九六八年一月二七日、東大紛争が始まる直前に彼女は帰らぬ人となります。山本義隆さんは、こう語っています。「東大闘争のそれぞれの局面で、私、あるいは私たちベトナム反戦会議のメンバーは、所さんだったらどうするだろう、所さんだったらなんと言うだろうと、しばしば考え、語りあったものです。東大闘争の全過程をとおして、所さんの思想と精神は、私たちを導いたと思います」[*9]。

全共闘のメンバーにとって所美都子がどれほど重要な存在であったのかは、次の山本義隆さんの所さんへの弔辞からもよくわかります。

「共同体に横たわる個と集団の論理、問題の発生は新しいことではない。しかし解決は絶望的に困難だ。それをみこしてあなたはあえて挑んだ。（中略）現実の斗争《とうそう》の局面に身をおくことによって自己の思想を裏付けてゆこうとした。斗争の際にあらわれたあなたの楽天性とその背後に秘められた決意は常にあなたを先頭の人にした。あなたは常に生き生きとしていた。そのあなたが突然死んだ。信じられない。あなたが死ぬ一日前の夜、病院であなたの生きんとするすざましい執念、血みどろの斗《たた》かいを目の前に見て、僕は自分の無力さをいやという程感じさせられた[*10]」

もうひとつ、所さんについての描写を紹介しましょう。最首悟さんによるものです。最首さんは今日、この講義をご覧になられているはずです。その最首さんは、ベトナム反戦会議での所さんについて、こんなふうに書き残されています。「第一回会合で所さんは陽気に歌うようにしゃべりまくった。（中略）四方八方にのばした触手がそれぞれいつも生き生きと動いている。定式化されたもの、枠づけされたもの、秩序化されたものに対する本能的ともいえる反撥《はんぱつ》を核にして、そのまわりを人間の善きもの、弱きものが何重にもとりまいている。（中略）孤独や非情や教条に徹することによってしか自己を守ることができない人は、彼女の無防備な無定形の世界の強靭《きようじん》さをついに理解できなかったようだ[*11]」。

所さんについて強い印象を抱いていたのは、全共闘の仲間だけではありません。新聞研で彼女の面倒を見たのは、読書文化史とメディア史で多くの仕事を残された香内三郎先生でした。香内先生は、研究生を受験された所さんについて、当時、新聞研には「『早大』闘争の残党が大量（にでもないか）に流れこんできた。入所関門の最後の儀式である『面接』に立ち合った先生方から、今年は大分元気のいい奴、へんな奴、なかでも大学から大学へと渡り歩いている ワンダーフォーゲルのような女性がいる、といった話を聞かされたようにも思うが、へんなのは毎年いる、というか、変り種が入所してくるのは、いわばこの研究所の慣行であり、そのときはべつに気にもとめなかった」と書いていますﾟ[*12]。

やがて、研究生たちの合宿があります。この合宿には、香内先生だけではなく、六〇年安保闘争のスターだった日高六郎先生も参加されていました。そのとき、「学生諸君の中間総括報告が、やや単線、無媒介に政府・権力と財界・独占資本に操作されるマスコミ、というトーンに色どられているのを気にされたか、日高六郎先生は、（中略）批判的感想を述べられる。それに猛烈にかみついて異彩をはなったのが所美都子さんであった。（中略。日高先生はそれに対して）少しもてあまされたのか（中略）『あとは香内君、あの研究生とよく話してくれ』ということで、先生は帰られる」と、書かれているのですね[*13]。

所さんは、六〇年安保闘争での経験から学生運動家になっていった人ですから、日高六郎先生のことをすごく意識していたと思いますね。それで、たぶん自覚的に日高先生に嚙《か》みついていた。ところが日高先生のほうは、所さんを面倒くさがって帰ってしまった。あれあれという感じですが、この瞬間は、本当は、日高六郎と所美都子が出会えた瞬間だったのですね。しかし、結局、二人はすれ違って、所さんは香内先生が面倒を見ることになったわけです。香内先生は、私も何度かお会いしたことがありますが、とても温厚で懐が深い先生でした。[*14] それだけでなく、この所さんについての回想を読むと、先輩の日高先生に対する批評眼もたしかですね。所さんとのやり取りを鋭く観察しています。

こうして香内先生によれば、所さんは、「『忍者武芸帳』の主人公さながらに、時おり砂嵐をよびそうな勢いで風のように研究室にあらわれ、私はひそかに所氏の砂漠の『不定期便』と称したが、当面考えていること、思想・文化戦線の情況などについて元気よく一席ブチ、私のところから三木清その他の古めかしい本をひっぱり出しては帰って行くようになる。ともかく愉快な風だった」そうで、香内先生は懐かしそうに書いています。[*15]

第一幕第三場

さて、それでは次に、今日のお話の理論的な前提と、それからアプローチの方法について述べておきたいと思います。

東大紛争については四つのよく知られた問いがあります。第一に、東大紛争を通じ、〈大学〉の何が失われ、何が発見されたのか。紛争では、戦後知識人たちの欺瞞《ぎまん》性、あるいは東大の権威といったことが糾弾されました。私は、この東大紛争を通じ、戦前からの帝国大学としての東大だけでなく、より深く、その帝大を解体した先で南原繁や矢内原忠雄が目指していたリベラルアーツ型の大学理念も決定的に挫折したのだと思っています。それでは、その挫折の先でどのような〈大学〉の理念が芽生えていたのでしょうか。

二番目。なぜ大河内《おおこうち》一男総長はかくも重大な戦略的失敗を繰り返したのでしょうか。医学部教授会への対応も、一九六八年六月一七日の機動隊導入も、六月二八日の総長会見も、大河内総長がやったことは失敗だらけです。なぜ彼は、それほどまでに無能な総長だったのか。私は、大河内一男という人のパーソナリティもありますが、それ以上に総長が部局自治、つまり医学部教授会の自治に過剰な配慮をしていたことと、彼が実は「大学とは何か」という根本をわかっていなかったことが失敗の根幹にあると思っています。

三番目。なぜ全共闘は適切なタイミングで戦略的妥協ができなかったのでしょうか。適切なタイミングはあったと思います。それは一一月一六日から一八日にかけて、加藤執行部が安田講堂、まさにこの場所に入り、全共闘と折衝を始めた時点です。しかし、これは早くも一八日に決裂します。この決裂後、全共闘は孤絶的急進化に向かっていったように思われます。なぜ、あそこで両者は話し合いを継続できなかったのか。

最後。なぜ特殊例の東大紛争が、長く大学紛争全体を表象してきたのか。東大紛争の経緯は非常に特殊です。他の大学紛争とかなり違います。しかし一九七〇年代以降、六〇年代の大学紛争が語られるときに、決まってここ「安田砦の攻防」の象徴的イメージがメディアで再演されてきました。それはいったいなぜなのか。詳しくは、今日は論じられませんけれども、私は、タテ割り、タコツボ、ピラミッド型の社会モデルから一向に脱することができない日本社会のなかでの「東大」への幻想性が根底にあると考えています。

さて、これらの問いを念頭にこれから東大紛争を語るわけですが、この語りのパラダイムは二〇一〇年代以降、大きく転換してきたと思います。二〇〇〇年代まで、東大紛争の語りは大きくふたつの極に分かれていました。一方は、闘争当事者たちが当時の自分たちの経験を再検証する仕方で出来事を語り直していくものです。たとえば、島泰三《たいぞう》さんの『安田講堂　1968―1969』で著者が目指したのは、一九六八年夏から翌年一月一九日までに東大安田講堂で起きた出来事を、最後まで内部に「覚悟を持って残った者として」「事件を安田講堂内部から見た者による証言」として語り直すことでした。[*16] もちろん、他にも当事者たちによって闘争の経緯を内側から語り直す目的で残された本は少なくありません。[*17]

他方、逆にそうした当事者の語りを突き放し、大学紛争を一九六〇年代の若者たちの社会意識の表出として相対化する試みもなされてきました。その代表は、やはり小熊英二さんの『1968』でしょう。小熊さんは意識的にインタビュー調査を回避し、同時代の「学生の手記や座談会、週刊誌や新聞の報道記事」を渉猟して、「高度成長を経て日本が先進国化しつつあったとき、現在の若者の問題とされている不登校、自傷行為、摂食障害、空虚感、閉塞感といった『現代的』な『生きづらさ』のいわば端緒が出現し、若者たちがその匂いをかぎとり反応した現象」として大学紛争を捉えました。[*18] 対象は同じでも、島さんと小熊さんのアプローチは、対極的と言ってもいいほど隔たっています。

しかし本当は、東大紛争を考察するには、当事者視点と観察者視点が内在的に結びつけられる必要があるのではないでしょうか。[*19] そして、私はこのふたつが結びつくことを可能にする条件が、ようやく二〇一〇年代以降に整いつつあると思います。この変化は、次の三つの動きを受けて生じています。第一に、紛争から半世紀を経て、さまざまな立場の当事者の語りが続々と公になっています。当時、紛争の渦中にいた若者の多くが、二〇一〇年代には高齢となりました。生きている間に語り残しておきたいという気持ちが強くなっていったことが、あの世代が語り始めた大きな要因なのだろうと思います。たとえば、全共闘のリーダーで長く沈黙してきた山本義隆さんも、その著書や東京大学百五十年史編纂室《へんさんしつ》のインタビューに応じ、きわめて率直に当時のことを語っています。*[20]

第二は、資料の収集と蓄積です。たとえば、国立歴史民俗博物館は、荒川章二さんが中心となって一九六八年の大学紛争に関する多くの資料を収集し、大規模な展覧会を開催しました。*[21]また東京大学文書館でも、森本祥子《さちこ》さんのリーダーシップにより、最首悟さんたちの協力も得ながら紛争資料の収集が進みました。*[22]こうした歴史家やアーキビストの努力によって、今日、東大紛争に関する資料の保存とアーカイブ化が急速に進んでいます。これらの資料を基盤として研究も活発化してきていて、その代表は、東大紛争を新しい社会運動の胎動として位置づけた小杉亮子《りょうこ》さんの仕事でしょう。*[23]また、東大の運営の中枢を担ってきた経験を踏まえ、戦後大学改革史のなかに東大紛争を位置づける試みも佐藤愼一先生によってなされています。*[24]どちらの場合も、歴史民俗博物館や東大文書館での資料収集の進展が重要な基盤となっています。

第三に、二〇〇〇年代以降、「一九六八年」を問い返す試みが、英語圏を中心に世界規模で起きてきました。たとえば、カルチュラル・スタディーズの視座からフランスのアメリカ化について刺激的な研究をしたクリスティン・ロスは、フランスでの「一九六八年」の語りをめぐる抗争をスリリングに浮かび上がらせました。彼女によれば、「『六八年』で目を引くのは、膨大な語り《ナラティヴ》──沈黙の覆いではなく──によって、フランスで起きたことを忘れる動きがかえって後押しされている」ことです。この動きは「五月」の騒動が沈静化するや始まり、今日まで続きます。「言説はたしかに生産されている。だがその主な効果は、『五月』の歴史を（六八年的な古い言い回しを使えば）粛清し、抹消し、あるいはうやむやにすること」なのです[*25]。

彼女はこの種の「想起＝忘却」の言説の流れをふたつに分けています。すなわち、「伝記による（個人への）回収と、社会学による回収」です。前者、すなわち「大衆運動を、ごく少数の『指導者』や代弁者《スポークスマン》、あるいは代表者の個人史に還元する方法は、こうした人々が『過去のあやまち』を自己批判するときにはとくに、成功が歴史的に実証されている効果的な『回収』戦術となる。こうした包囲によって、集団による反乱はことごとく骨抜きにされ、個人史における実存的な苦闘として片づけられてしまう」のです。他方、後者、すなわち「社会学は、現実──つまり出来事──を事実によって裁き、評価・分類し、閉じこめる法廷の役目をつねに買って出」ました。彼らが「よって立つのは、抽象的な構造や規則性、平均化や数量化、二項対立を軸にした分類の精緻化だ。これらはすべて、経験的なものへの強い不信感に根ざしている」とロスは続けています。[*26]

そして結局、ふたつの語りは、「主張のうえでは対立しながらも、『五月』の今日的理解を支える脱歴史化・脱政治化されたコードを共同で作り出したのだ」。それは、「五月」がフランスの現代化、すなわち「権威主義的なブルジョワ国家から、新しい、リベラルな現代金融ブルジョワ国家への移行」にともなう「慣習とライフスタイルの無害な変容」だったという理解です。この「公認の物語」は、「きわめてラディカルな思想や実践の一部が、〈資本〉に回収された」という主張だけではなく、むしろそれ以上に「今日の資本主義社会が『五月』の運動の願望の逸脱や挫折ではなく、その奥底に潜んでいた欲望の成就の現れだと主張」したのです。そこには、「現在即必然という目的論」が含まれていました。[*27]

第二幕第一場

このような「一九六八年」と東大紛争をめぐる新しい認識パラダイムの浮上を受け、私は今日、ここで、上演論的アプローチが、東大紛争を単に当事者視点の語りにとどめるのでも、メディアの語りを総合して当事者の経験を突き放すのでもなく、異なる立場で経験されたリアリティの重層的なダイナミズムを捉え返す有用なアプローチになりうると主張したい。つまり

〈上演〉は、闘争の内側の経験やそれに対抗する政治実践、あるいは大学をめぐる外側の諸条件、つまりは出来事と文脈をつなぐことを可能にする発見的視座となるというのが、私の本日の主張です。いうまでもなくここでいう〈上演〉は、私が『都市のドラマトゥルギー』以来、近年では『五輪と戦後』でも、繰り返し示し続けてきたアプローチです。

東大紛争が〈上演〉であるならば、当然ながらそれは、ドラマの時間構造と空間構造をもっています。時間構造の面から見ると、東大紛争は三つの大きな場面転換の瞬間を経ていました。第一が、一九六八年六月一七日、大河内総長が安田講堂を占拠した医学部の運動家たちを排除するために機動隊を導入してしまったときです。これによって紛争の様相は劇的に変化しました。第二は、一九六八年一一月一八日、安田講堂で開かれた加藤新執行部と全共闘の対話が決裂したときです。それ以降、ドラマとしての紛争は暗転していきます。そして第三は、一九六九年一月一九日です。「安田砦の攻防」を経て、全共闘が機動隊によって鎮圧され、紛争は東大構内においては終わりを告げるのですが、〈言説／記憶〉としての東大紛争はその後も演じられ続けます。したがって、「東大紛争」をドラマとして捉え返すなら、それは三つの場面転換で分けられる四幕劇ということになります。

他方、〈上演〉としての東大紛争には空間構造もあります。この〈上演〉の主舞台は、もちろん、今、私が立っている安田講堂でした。しかし、この場所、この安田講堂は東大本郷キャンパスに取り巻かれています。そして、そのキャンパスの外側には首都としての東京があり、そこでは政府や文部省、自民党と財界、あるいは共産党や労働組合、同時にテレビと新聞、週刊誌といったメディアが東大の動きに注目していました。

つまり、「東大紛争」を〈舞台〉の面から捉えるなら、安田講堂、東大キャンパス、永田町や霞《かすみ》が関《せき》、大手町（産業界）や代々木（共産党本部）などの首都東京、さらにはテレビや新聞などのマスコミという四層の構造をもった劇場が見えてきます。図式的に言うならば、東大紛争の考察では、これらの四層のどこかに位置する諸主体が、四幕劇のそれぞれの展開のなかで相互の関係をいかに変化させていったのかが問われなければなりません。

第一幕第一場

第一幕。東大紛争は医学部の医局問題を発端とします。この問題で医学部学生が無期限ストに入るのが一九六八年一月二九日です。二月一九日、春見医局長事件という紛争拡大の直接の発端となる教員と学生の衝突が生じています。これに過剰反応した強硬派の豊川医学部長は、証拠もまともに確かめないまま学生の大量処分を教授会で決定します。ところがしばらくして、

③安田講堂を占拠する学生たち（写真：毎日新聞社/アフロ）

処分された学生の一人のアリバイが証明されるのです。当然、この処分は不当だという認識が各方面に広がっていきました。ここでの最大の問題は、この医学部危機のなかで、大河内総長が実質的なことを何もできなかった点にあります。総長の対応は何度も後手にまわり、しかも彼は、医学部執行部の決定を追認し続けたのです。これらのことが、彼の総長としてのリーダーシップを著しく弱めました。

第二幕。さらに総長の迷走を決定づけたのは、同年六月一七日、医学部の活動家の一部が安田講堂を占拠していることに対し、ほぼ独断で機動隊導入による排除を決定してしまったことでした。この決定が、紛争を「医学部の紛争」から「東大全学の紛争」に大転換させます。大河内総長の「暴挙」に対し、医学部以外の学生たちにも怒りが広がり、それまで事態を遠目に眺めていた一般学生が次々に闘争の舞台の上に上がっていったのです（図版③）。

この場面転換以前、「紛争」はどちらかというと医学部の紛争で、火種は広がってはいましたけれども、その舞台は安田講堂に中心化していたわけではありません。学内のいろいろなところに舞台が分散的に出現し、一般学生はまだ客席の側にとどまっていました。様子見をしていたわけです。それに業を煮やした医学部の活動家たちが、この安田講堂を占拠した。そうすると大河内総長は、あろうことか一気に機動隊を導入して学生たちを排除してしまったのですね。これが安田講堂に全学の関心を集中化させる。つまり、この安田講堂が東大紛争全体の明白な主舞台になっていったのです。しかも、この舞台転換は、大河内総長の軽率な判断によって生じたもので、非常に多くの学生がこれを「暴挙」と受け止めた。だから、次々に一般学生たちが舞台の上に上がって来る。つまり、それまで舞台と客席を隔てていた境界線が消えて、学生たちは総演者化していったわけです。

当時、学生として学内にいた佐藤愼一先生は、六月一七日以降の学内の雰囲気の劇的変化をこう振り返っています。「この日、東京大学のキャンパスは、日常性のタガが外れた祝祭空間と化していた。タガを外したのは総長による機動隊導入だが、学生たちが本気で機動隊導入に怒っていたかというと、疑問が残る。（中略）機動隊導入が絶対に悪いということでなく、大学自治や話しあいの必要性を偉そうに告示していた総長が、自分の立場が脅かされると、話し合いもせずいきなり機動隊導入するとはどういうことなのか、という感覚が強かったと思う。『話し合いもせずに機動隊を導入した大河内総長糾弾』というのは、『粒良君の誤認処分撤回』と並ぶ『絶対に正しい』（中略）スローガンであり、（中略）この『絶対に正しい』スローガンが、学部の壁を越えて、学生たちを結び付けた」[*28]。

全学が学生の怒りで沸騰するなか、大学執行部が何か手を打たなければと考えたのは当然でした。彼らは六月二八日、この安田講堂で総長会見を催すのですが、そこでの大河内総長のパフォーマンスが最悪で、かえって紛争の火に油を注ぐことになります。再び佐藤先生からの引用ですが、「この日の安田講堂は巨大な祝祭空間であり、彼らはそこで演じられるドラマを楽しみにきたのである。（中略）一般学生を失望させたのは、舞台に登場した主役の演技があまりに稚拙で凡庸だったことである。完全に裏目に出た。弁明に終始した大河内総長の弱々しい態度は、学生が総長に期待した権威も決断力も欠いていた。（中略）期待は見事に裏切られた。その失望感が、秋以降の紛争拡大のための地下マグマとなる」[*29]。要するに、この会見の日をもって東京大学から実質的な意味をもつ総長が消えたのです。本郷キャンパスのど真ん中に、主役のいない舞台、空虚な中心が生じていました。

第二幕第三場

主役のいなくなった舞台は、誰かがその穴を埋めなければなりません。そして実際、総長がいなくなった東京大学で、この舞台上の主役を演じていくのは、教師たちではなく学生たちでした。大学はそもそも教師と学生の共同体であるとの原理に立ち帰るなら、これはある意味で当然の成り行きだったのですが、当時の世間は、そう受け止めはしなかったでしょう。それでも大河内執行部が座礁してしまったなか、まさにこの焦点化した安田講堂の舞台に立ったのが、山本義隆さんを主役とする全共闘の人々でした。

しかし、山本さんは、自分が全学共闘会議議長に選ばれた理由を後に、「私は、どの党派の色もついていない安全パイみたいなもので、消去法で選ばれたのではないかと思っています。(中略)私は、良かれ悪しかれ、調整役としての役割に終始していました。(中略)本当のことを言うと私は政治音痴のようなところがあるので、逆にああいう役割をさせられたのだろう」と振り返ります。[*30] この発言は、「山本義隆」についての一般的なイメージとずいぶん違うのですが、私はおそらくこの発言のほうが本当だと思います。つまり彼は、なんらかの明確なビジヨンをもって全体を引っ張るリーダーだったのではなく、舞台中央ががらんと空いてしまったので、それを埋める主役を振られたのです。

しかし、主役になってしまった以上、その舞台でなんらかの演技をしていかなければなりません。その演技のための見えないシナリオになっていたのが、私は、所美都子さんの組織論だったのではないかという気がしています。再び山本さんから引用すれば、彼は、「運動のなかでの個人と組織の関係を考えつづけていた彼女の到達した地点が、運動の組織論として上下の関係があるのではなくて反戦の意思を持った個人の集まりが横に繋《つな》がっていくというものであり、その彼女の組織論に共鳴して私たちは集まっていました。組織による強制もなければ統制もなく、引き回しや代行主義もなく、一人ひとりが自分たちの責任で闘い、立ち上がった諸個人が闘いのなかで横断的に連帯を求めてゆくというもので、その後、東大闘争で実現をめざした組織論のハシリのようなものでした」と振り返っています。[*31]

では、実際に所さんはどのように、自分が考える「予感される組織」について語っていたのでしょうか。[*32] 彼女は東大紛争が始まる約一年半前、「逆説的ではあるが、組織結集の根底には抜き難い人間への不信感もあるのだ。もし不動の信頼感を他人に寄せていたら組織である必要はない。意のおもむくままに集っては離れる集団でよいのだ。（中略）個々人の願うところおのずと集まり、各人の特徴に応じてしたいことをする。それはなすべきものではないにもかかわらず、あるべき力となって外に向う。このような集団こそ、人間のあり方として、ユートピアとして、人の心の中に育ってきた」と述べていました。[*33]

ここでの所さんの天才は、人間相互の「不信」を前提にそれをいかに克服するかを考えるのではなく、そもそも不信などまったくない、「不動の信頼感を他人に寄せる」社会から出発してしまう点にありました。彼女は、その「不動の信頼感」を「大事に守り育てることによって現実を拒否していくことができる」と考えていたのです。[*34]そうした「ユートピア」的前提の先に構想されるのが、彼女の言う「上下をもたない組織」でした。

もちろん、これとは逆の現実もあります。所さんは、「上部機関への、上部という名による圧倒的な信頼感は、むしろ下部組織構成員同士に存在する不信感のあらわれ」なのだと言います。ですから、上下のヒエラルキーは「不信」の増幅を解消しません。ただそれを抑圧するだけです。「不信」を減衰させ、「信頼」を育成していくには、「上下をもたない組織」が必要となります。彼女が言うのは、「意志疎通を濃密に行ないながら集団が構成単位となって、成立していく組織である。そして個々の集団同士の連絡は各集団の流動的に変る連絡員によりなされることになろう。したがって、そこでは、固定的な委員や、代表者の発生を避けるような制度をもたねばならない」。所さんはさらに、こうした組織が分散的かつ流動的なネットワークとならざるをえないことにも注意を喚起していました。すなわち、この種の組織は「群拠的に存在することになるだろう。情勢が緊迫する中で乱気流の如《ごと》く連絡がもたれ、各集団の闘いと睨《にら》みあわされながら、自ら闘ってゆく*35」。

現実的には、「信頼」を育成する水平的なネットワークを持続可能にしていくのはきわめて困難です。なぜなら、「上下関係のある組織の中では権力欲は、制度として表現されているがゆえに、それは一定の把握可能な秩序となってあらわれてくる」のに対し、「横の伝達関係のみで結集している分権的組織等集団」では、「各自の権力欲は絶えずその組織のあり方と対立せざるをえ」ません*36。垂直的な権力関係、そして上昇を目指す権力欲から解放された社会では、水平的なコミュニケーションが信頼を育成します。それはつまりお互いが同時多発的に話し合いながら変化し続ける社会です。無数のざわめきが続く社会、そんな社会が祝祭的な瞬間が過ぎても持続していく可能性は、実は高くはありません。

容易に察せられるように、所美都子さんが考えていた運動体のイメージは、二〇〇〇年代以降、つまりインターネットが全世界に広がるなかで、「アラブの春」であるとか、台湾の「ひまわり運動」であるとか、香港の「雨傘革命」であるとか、日本で言えば二〇一五年のSEA

ＬＤｓの若者たちによって展開されていった運動のイメージに近いものです。そのような運動体を、所さんはすでに一九六〇年代の半ばに構想していたわけです。

その中核にあったのはコミュニケーションの概念で、それも一極集中的なマス・コミュニケーションではなく、すべての個人が送り手になっていく今日のソーシャルメディアによるコミュニケーションに近いものでした。同時代の新聞研究所には、後にミニコミや地域メディアの研究を展開する田村紀雄さんが助手でいましたし、所さんが噛みついた日高六郎先生には、鶴見俊輔さんとともに六〇年安保をコミュニケーション過程として捉える視点がありましたから、このような方向での思考の土壌は近いところにあったと察せられます。

そして、彼女がこうした組織イメージを予感し始めた原点にあるのが、実は東京大学新聞研究所の研究生の入試問題でした。この入試問題で、組織について論じなさいという問題が出て、それに対する答案として、このような組織イメージの原型を所さんは論じ始めています。まあ、ざっくり言えば、所美都子の新しい組織イメージが構想されていく原点に、実は東大新聞研究所研究生の入試があったと言えなくもありません。

安田講堂に話を戻すなら、やがてこの舞台は一種の開放空間となります。講堂は再び学生たちに占拠され、今度は最初の占拠の際のように入口にバリケードが作られることはなく、講堂内に自由に学生が出入りできるようになりました。それどころか、講堂は「まるで無料の〝貸会場〟のように気前よく貸し出された。（中略）豪華な会議室はいつでも自由に使え、レコード・コンサートに、ダベリングに、合宿にと引く手あまただった。大ホールでは映画会、講演会、討論会がつぎつぎと開かれた。だれの許可もいらない。ハンコもいらない。あいてさえいれば勝手に、いつでも使うことができた」と、内藤国夫さんは書いています。[*37] 私は今日、かなり高い使用料を払ってこの場所を借りているのですが、ただで自由に使えたというのは羨ましい限りですね。しかも講堂前の広場には、「日よけの美しいカラー・テントが張られ、その下ではギターをひき、歌をうたい、トランジスタ・ラジオから流れる軽音楽に耳を傾ける。ダベルのもよし、読書もよし、昼寝もよし。はたから見ていてもまことに楽し気なテント生活」が繰り広げられたそうです。[*38]

講堂内での全共闘の代表者会議にしても、山本義隆さんは、「喋《しゃべ》りたい諸君、聞きたい諸君を全部どんどん入れて、ときには二〇〇人くらいでやりました。ほとんど大衆的な討論です。はやい話、やる気のある人間の全体で行動方針を決めていたのです。というのも、そもそも活動家と言っても、マスコミが言っているような固定化したものではなく、運動の過程でつぎつぎと意欲的な諸君が出現し、加わってきた」と語ります。[*39] そこでは「活動家と一般学生といった類型的な区別《ステレオ・タイプ》」が意味を失い、「昨日まで研究室で研究に没頭していた大学院生が、あるとき教室の集会に出てきて、翌日安田講堂にやってきて、そしてそのつぎの日からデモに加わるという光景があちこちで見受けられ」たのです。*40

第二幕第四場

第三幕。結局、大河内執行部は一一月はじめ、匙《さじ》を投げるような仕方で総退陣します。それを受けて東京大学は、一世代若い加藤一郎や坂本義和《よしかず》、福武直《ただし》を中核とする新執行部を選出しました。彼らは機敏に学生たちとの交渉を開始し、一一月一六日と一八日、安田講堂に入って全共闘と直接折衝をおこないます。一六日の会合は五時間以上に及びましたが、いい感触をつかめたと加藤総長代行らは受け止めました。

すると、全共闘側の要望で二日後に再度折衝が開かれることになります。ところが一八日、加藤執行部が安田講堂に入ると、二日前よりもはるかに多くの学生が集まっており、彼らは学生たちに「帰れ、帰れ」と言われてしまうのです。全員参加型の共闘会議の仕組みが裏目に出たともいえますし、その二日間で、裏で何か事態の変化があったのかもしれません。ここに、紛争の二番目の分岐点がありました。東大闘争は、七月から一〇月ごろまでの祝祭的な数か月を経て、一一月以降に暗転していきます。この暗転は、一〇月までの大学執行部の無能さと、一一月以降に一転してきわめて有能な執行部が誕生したことと逆立するようにも見えますが、これは逆立ではなく表裏だったように私は思います。

そして一一月以降、学内を占拠する学生内部で内ゲバが激しくなっていきます。内藤国夫は、東大紛争を「こじらせ、複雑なものとし、変質させていった最大の〝犯人〟はこの内ゲバ激化である。とくに〝外人部隊〟の登場によって内ゲバは本格化し、悲惨なものとなっていった」と書いています。[*41] 彼はさらに、「ゲバルトが深刻化するにつれて、キャンパスはさながら戦場の如く互いの拠点が武装強化され、野戦病院の如くホウタイ姿の負傷者が目についた」と、惨状を観察しています。[*42]

もともと、学生たちには三つの異なるセクターがありました。第一は、日本共産党の影響を受ける民青、第二は、それに反発する全学連各派です。そしてこれらの中間に、この両者のどちらにも違和感のある第三のノンセクト的な学生たちがいました。六月一七日の機動隊導入は、このノンセクトの学生たちを一挙に舞台に上らせました。学生たちが総演者化したのです。そして、そのノンセクトの学生たちと全学連をつなぐ役割を果たしていたのが全共闘でした。ところが一一月以降、民青系と全学連系の暴力的な対立が激化し、それまでの境界がないような

④確認書を交わす加藤一郎総長代行と学生たち（写真：毎日新聞社/アフロ）

闘争空間の構造が崩れていきます。舞台や客席が分裂を深めるなかで、一般学生は再び舞台から降りて個々の客席に退いていったのです。

やがて翌六九年一月一〇日、秩父宮ラグビー場で全共闘を除いた学生団体と総長の間に確認書が交わされ、それ以降、各学部で無期限ストの解除が進みます（図版④）。その結果、安田講堂に立て籠もっていた全共闘は孤立していきます。その最終的な結末が、一月一八日、一九日の機動隊導入による強制排除となったわけです。そして、この「安田砦の攻防」という悲劇的転換を経て、〈上演〉としての東大紛争は第四幕に向かうのです。

第三幕第一場

さて、第一幕から第三幕までの流れを通覧すると、東大紛争の全プロセスを通じて場面を転換させてきた最大の契機は「不信」の増殖だったことがわかります。そして、少なくともその前半、この不信増殖を助長したのは責任主体の曖昧さでした。その最初の責任が医学部教授会にあり、同時に大河内総長にあったことは明白です。そして、大河内総長がそうした不信増殖に加担することになった最大の原因は、彼があまりにも学部の教授会自治を尊重しすぎたことにあります。この点は、戦前の東京帝国大学の総長から南原繁や矢内原忠雄も含めてある程度は共通するのですが、とりわけ大河内総長は、学部教授会自治の原則に大学トップが介入することを躊躇《ちゅうちょ》し続けました。安田講堂のような一部の「直轄地」以外では、トップダウンで何かを動かすという意識が弱かったのです。

もうひとつ、大河内総長には決定的に欠けていたものがありました。それは、事もあろうに〈大学〉の理念です。大学はそもそも旅する教師と学生の協同組合として出発し、だからこそ〈自由〉の知としてのリベラルアーツが学びの根幹をなしてきました。この理念を、戦後の東大総長としての南原繁や矢内原忠雄は自覚し、追求したのですが、大河内総長にはそれがきわめて希薄でした。彼は、学生との直接的な対話を嫌いました。しかし、大学教師ならば学生との直接対話は本来、そのアイデンティティの根幹です。そうした意識が紛争時、東大教官を束ねる総長から失われていたのは果たして偶然でしょうか。

さかのぼれば、かつて南原繁と矢内原忠雄は、戦後の東大に専門知中心の帝国大学とは異なるリベラルアーツ教育の仕組みを作り出そうと奮闘しました。当時、彼らが最も重視したのは〈自由〉の概念です。この自由は決して、何々からの自由という、抑圧の外に出ることによって得られる自由ではありません。彼らは超越的な価値への自由というキリスト教的概念を何よりも重視していました。たとえば南原は、一九世紀イギリスのオックスフォード運動を重視します。この運動をリードしたのはジョン・ヘンリー・ニューマンで、彼の『大学の理念』という著書は、大学論の古典中の古典です。この本でニューマンはふたつの知を分けます。ひとつはリベラルな知、つまり目的に従属しない、学ぶこと自体が目的であるような知です。もうひとつは奴隷的な知、つまり国家的、産業的、個人的な目的に奉仕する手段的な知です。大学は常にこのふたつの知の組み合わせでなければならない。

ところが、南原や矢内原の考えでは、戦前の帝国大学は奴隷的な知が支配する大学でした。タテ割りで専門知を修得し、国家のために奉仕する、産業のために奉仕する、それが大学の役割だということになっていた。そのような大学のあり方を解体し、戦後の東京大学にリベラルな知、つまりそれ自体が目的であるような横串の知の体制を入れなければいけないと南原たちは考えていました。そのために、彼らは旧制高校を吸収合併して駒場に教養学部を作り、リベラルアーツの基盤を整えようとしたのです。

矢内原忠雄は、こうした南原の改革理念を忠実に継承しました。彼は南原以上にキリスト者でしたから、大学はそもそも教師と学生の学びの共同体であるという考え方を強く信奉していました。ですから彼は、総長在任中にも学生との対話を希望し続けたのです。学生たちの集会に自分は喜んで出て行き、学生と対話したいと何度も表明しました。

しかし、彼が総長だった一九五〇年代、現実の学生たちの状況は変化していました。大学生の年齢が若くなっていましたし、学生数が爆発的に増え、マス化していました。同時に彼らは相当程度に政治化していました。ですから、矢内原は厄介な矛盾を抱え込みます。一方で彼は、東大生は強い政治意識をもつべきだと繰り返し、「学生運動は戦後日本のもつ社会的苦悶《くもん》の一つの現れであり、これを正しい方向に発達させることは、戦後日本の民主的発達のため甚だ重要」だと述べていました[*43]。彼は、学生運動を否定していません。ところが、学内でポポロ事件（一九五二年二月に東大で起きた大学の自治にかかわる事件）のような衝突が生じると、彼は学生を厳しく処罰しました。学生から見れば、言っていることとやっていることが違う。とりわけ矢内原が掲げた「矢内原三原則」は、東大紛争で大きな批判の的となります。

実際に戦後、東大学内でさまざまな学生運動による事件が起きていました。そして、それらを前に矢内原総長は学生運動への怒りを募らせてもいたのです。たとえば、「大学の自治、学園の自由といふことが、無秩序、無規律の行為を隠蔽する鉄のカーテンとして悪用される。一般社会では容認されない非合法的暴力行為でさへ、学生自治の名の下に学園内で容認されるとすれば、それはもはや自治でも自由でもなく、かへつて自由の喪失、自治の放棄」だと彼は言いきっています。[*44] しかし、一九六〇年代を通じて学生運動はますます高揚し、東大紛争ではリベラルアーツを目指したかつての南原総長や矢内原総長と学生たちの意識との乖離は臨界点まで達し、むしろ相互の不信となっていきます。

第三幕第二場

こうして紛争という臨界点で、かつて戦後の大学改革を〈自由〉の理念に導かれて進めた人々の「欺瞞」が露呈したかに見えていました。見田宗介先生の盟友で、「造反教官」として学内から東大批判を続けた折原浩《ひろし》先生は、一九六八年七月の時点で医学部処分の不当性を指摘し、「誤った処分にたいする異議申立をしようとした学生の要求を、慣行にこだわって拒みつづけ」た大河内総長の責任を正面から問うていました。折原先生の信じるところ、「『力にたいしても、あくまでも理性を』という厳しい要請を自覚することによってはじめて、大学が〈理性の府〉であると同時に、〈平和の精神の砦〉たりうる」のです[*45]。つまり、この時点で折原先生が主張していたのはいたってシンプルで、「大学自体の原理に立ち帰り、正しいことは、それが誰によって主張されようとも正しいと認め、誤りは、いかに権威や面子《メンツ》の失墜を招こうが、率直に誤りと認めること」でした[*46]。

おそらく矢内原忠雄なら、この折原先生の主張に少なくとも原則として強く賛成したでしょう。大河内総長はすでに、南原や矢内原が戦後東大に求めた方向からも大きく逸脱していたのです。私がこう確信をもって述べる理由は、西村秀夫さんにあります。西村さんは、矢内原が東大の教養学部長だったとき、最も信頼できるキリスト者として東大に学生部専任教官という不思議なポジションを設けて引き入れた人です。彼は、本質的には研究者というよりも宗教者だったようなところがあるのですが、矢内原没後も東大に残り、教官でありながら多くの学生運動家たちからも、折原浩先生のような造反教官からも、絶大な信頼を得ていました。

実際、最首悟さんと私が対談をした際、最首さんはこんなふうに語っていました。「西村先生には『清潔』という言葉を感じる。私たちは東京大学やその医学部の現状に不潔さを感じてそこに抗っていたのですが、東大評議会にも、教授にも助手にも、私自身にだって不潔さを感じる。西村先生にはそれがなかった。もう一つは、西村さんには『国家』がなかった。新渡戸《にとべ》、矢内原ときて三代目の西村さんにはそれはなかった」と。そこで私が、「矢内原には国家がある？」と聞くと、最首さんは「国家がある。内村鑑三の『2つのJ』（JesusとJapan）があって、矢内原さんがそれをもっと過激にしちゃったでしょ。それが西村先生にはないということです」と答えられています。*47 つまり西村秀夫は、戦後の南原＝矢内原改革で導き入れられていた大学のもうひとつの可能性だったのです。

西村秀夫さんに強い感化を受けていたのは、全共闘の若手だけではありません。折原先生も西村さんのことを「執拗に状況に密着し、行動のさなかで敏活に働くこの強靭な知性に、わたくしはただ感歎《かんたん》し、つき従うばかり」だったと熱烈に称賛しています。一九五四年に入学した彼は、東大駒場キャンパスでの西村さんとの出会いをこう書きます。

「その年、当時の文科二類（現在の文科三類）に入学したわたくしは、キャンパスの一隅で、数人の学生が一人の教師をとり巻き何ごとか論争しているのを、うしろの列から眺めていた。（中略）そのやりとりは、話し合いというよりも、〝わたり合い〟といった方がピッタりくるような激しさをともなう対決であった。ちょうど、一昨年（一九六八年）、駒場のキャンパスのあちこちでくりひろげられた〝教官追及〟の原初形態のようなものであった。／一人の教師は、学生の問いに一つ一つ明晰に答えながら、逆に学生一人一人の見解を問いただしていった。この反問は、ごまかしや逃げを許さぬ厳しさをともなってはいたが、たじろぐ学生を見守る教師の眼差《まなざし》は凛《りん》として澄みわたっていた。前列の学生がいきり立てば立つほど、かえって、この目前の人への信頼感に抗いがたくとらえられてしまうようであった。（中略）かたわらの友人に、『あれはなんの先生か』とたずねてみた。『いや、あの人は、学生部の教官で、矢内原総長がとくに呼びよせた無教会のクリスチャンだそうだ。たしか西村さんという』との答えが返ってきた*48」

西村秀夫さんが体現したのは、矢内原忠雄のもうひとつの可能性だったと思います。すでにお話ししたように、南原＝矢内原改革が目指したものは、東大紛争において決定的に挫折したのですが、しかしその同じ矢内原は、無理を押し通しても戦後の東大には西村さんのような教師が必要だと確信していました。矢内原の強い意志で、西村さんは東大駒場キャンパスに呼び込まれ、それが最首悟さんや折原浩さんに大きな影響を与えていくのです。しかも西村さんは、紛争の渦中、東大教師と学生の間の対話の回路を広げようと、渾身《こんしん》の動きを重ねています。すでにお話しした安田講堂での加藤執行部と全共闘の折衝場面でも、西村さんは加藤執行部の背後にも現れ、加藤総長代行の発言が慎重すぎて、もっとはっきりしたことを言わないと学生たちは納得しないとのアドバイスを囁《ささや》いていました。[*49] 表面で展開したドラマの背後で、こうした無数のやり取りが重ねられていたのです。

しかし、学内での紛争が悲劇的な結末となり、表向きは「終結」した後で書いていく文章では、折原先生の苦悩はより深いものとなっています。この時点で、折原の批判の矛先は、単に医学部教授会や大学評議会、総長という以上に、一人ひとりの東大教官に向けられていくのです。すなわち、彼ら東大教官の「個々のメンバーの根深い自己保存・慣習維持の『本能』が、外からの脅威（『学生のつき上げ』）を受けた集団の凝集化と融合して生まれる『教授会の一体性』という神話、『組織の人としての公的責任』（じつは、人間としての態度決定を回避する口実）というイデオロギー、『学生に教えられてなるものか』、『毅然たる態度をとれ』という虚栄心や面子意識、（中略）こういった類のものが、国家権力の庇護《ひご》下にある『自治』の日常的秩序のなかで、われわれをがんじがらめにしばっている。いな、それらがわれわれ自身の血となり肉となってしまっている」という認識に折原は達しているのです。[*50] この認識は、この講義の最後で触れる見田先生の「態度表明」に近く、この認識の共有を通じ、その後も続く見田＝折原の共同戦線は成立していたと思います。

第三幕第三場

一九六九年一月の東大紛争の結末は、全共闘の学生たちにとってのみならず、加藤執行部にとっても悲劇的な失敗でした。しかし、その深刻な「失敗」の意味をどのように受け止めるかは、立場によって異なっていたと思います。六八年一一月以降、混迷を深める東大の秩序を立て直そうともがいていた加藤一郎さんや坂本義和さんにとって、問題の根本は東大における近代的な意味での責任主体の不在でした。紛争終結後、東大執行部が何を考え、問題にどう取り組んでいたかを回想した座談会で、加藤総長代行は、「リーダーシップがないということが紛争解決を困難にしている。学生のほうもはっきりしたリーダーシップがない」と述べています。リーダーシップがないのは大学側も学生側も同じだとの批判です。だから加藤代行としては、「教授会ではやはり民主的に討議して、多数の意見によることは同じだけれども、その取りまとめの責任というものは、やはり学部長、総長というものが持つべきだ、責任体制を明確にする」必要がありました。[*51]

坂本義和さんも、晩年の回想で全共闘を批判しています。彼は、「『大衆団交』も、あの時代の言葉でした。これは誰も『代表』になれないという意味で大変に象徴的な言葉でした。『大衆団交』するのはそこにいる『大衆』であって、山本君は『議長』であっても『代表』であることを拒絶しました。しかし、学生たちは、自分を『大衆』という匿名の集団の中に埋め込むことによって、自分のアイデンティティを消去しないですんだのでしょうか[*52]」と問います。全共闘は、誰が意思決定を担い、その決定に誰が責任を負うのかを曖昧にしていたと批判しているのです。たしかに大学側も、「医学部が近代以前の体質にあることは明瞭でした」。また、それに引きずられた大河内総長も問題だった。しかし他方、「山本君の言うことを聞いていると、もう近代化の必要性という問題ではなく、むしろ反近代・ポストモダンだということは分かりました。（中略）私たちが『改革』として考えていたことは、（中略）要するに近代的人権に基づく大学の制度や運用の改革でした。では、そういう意味での近代化でない大学改革とはどういうものなのか、結局分からなかった」と述懐します[*53]。

しかし、これまでお話ししてきたように、所美都子さんや彼女のシナリオを指標に山本義隆さんたちが考えていたことは、この加藤さんや坂本さんとは少し違ったフェーズにあったのではないか。つまり、東大紛争の根本にあったのは、責任主体の問題というよりも不信の増殖の問題だったのではないかということです。紛争の全過程を通じ、教師と学生、あるいは学生と学生の間に不信が増殖し続けました。大学で、不信がスパイラルのように増殖していった。これは、そもそも大学は教師と学生の共同体であるという理念からすれば正反対の動きでした。教師と学生の信頼を構築するには、まず何よりもレスポンシビリティ、責任という以上に応答可能性がなければなりません。東大紛争ではそのすべてが崩れていったのです。

第四幕第一場

いよいよ第四幕です。知られるように、一九六九年の一月一八日、一九日の機動隊導入をもって、東大紛争は東大の学内、つまりこのキャンパス内で繰り広げられる衝突としては終わりを告げます。しかしながら、その後もこの紛争を通じて起きたことは、さまざまな映像イメージ、あるいは回顧的な語りを通じ、とりわけメディアにおいて演じられ、想起され、再演され続けたのだと私は思います。たとえば今、ご覧いただいているのは、「朝日新聞」と「読売新聞」の記事のなかで、「東大紛争」、「日大紛争」、それから「安田講堂」という言葉がどのくらい出てきたのかについての推移を示したものです（図版⑤）。

このグラフを見ていただければすぐわかるように、「東大紛争」には、六八年の六月、九月、一一月から翌年一月までの三つの山があり、この三つ目の山が圧倒的に大きな山脈となっています。そして、「日大紛争」に比べて「東大紛争」は報道量が常に多く、六八年一一月以降の上昇が非常に急です。つまり、それだけドラマ性があったわけです。「日大紛争」のほうは複数の山が連担していて、両者にはいわば北アルプスと中国山地のような違いがあります。そして「安田講堂」は、六九年一月以前には、それほどメディアの記事としては単独では焦点化されていないのですけれども、一月になると一挙に焦点化され、その後も引き続きドラマの舞台として登場していくことになるわけです。

このようなメディアのイメージは、一九六九年以降も上演され続けました。このメディアによる舞台化の戦略的意味を、当事者たちも意識していなかったわけではありません。山本義隆さんも、「学生にとって安田講堂はあまり縁のない場所だった。しかし、そこを占拠し解放することは、物理的な意味以上に象徴的ないし政治的な意味で重要だった」と後に語っています[*54]し、対立する立場ですが、丸山眞男さんは「東大紛争」のメディアにおける取り扱い方が「問題的」ではなく「事件的」、つまりイベント的であると厳しく批判していました[*55]。

この点を、丸山は皮肉たっぷりに、「『東大の権威地に墜《お》ちたり』と、新聞から高級・通俗週刊誌にいたるまで何度書かれたことだろう。これだけ度々地におちれば、とっくにコナゴナに

⑤「東大紛争」「日大紛争」「安田講堂」の記事数の推移
（1968年1月〜1970年5月）

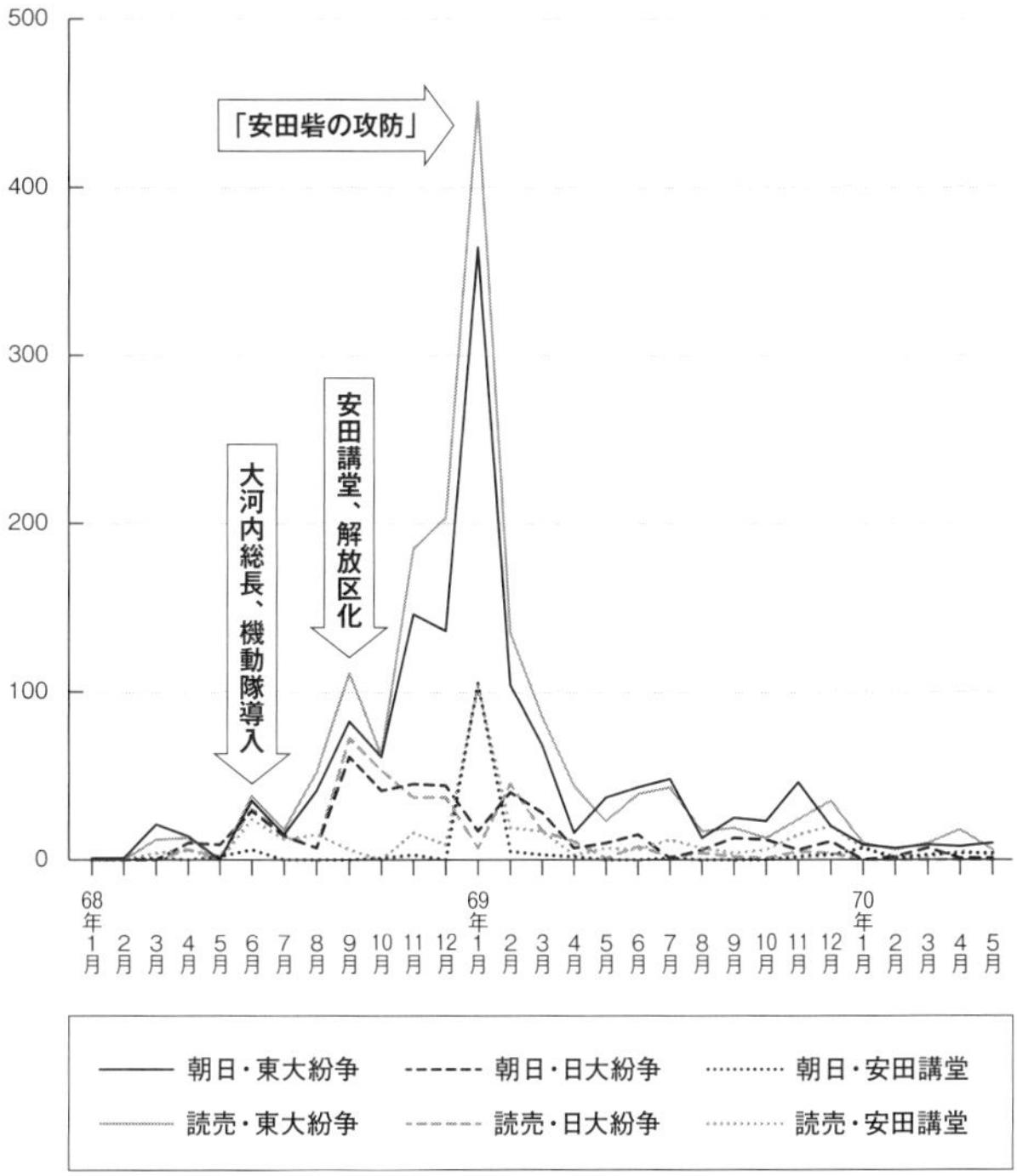

●「東大紛争」は68年6月、9月、11月から69年1月までが3つの山。第3の山が圧倒的に大きい。

●「日大紛争」に比べ、「東大紛争」は報道量が常に多く、69年11月以降の上昇が急（強度のドラマ性）。「日大紛争」は複数の山が連坦。

●「安田講堂」は、69年1月以前はそれほど焦点化されていないが、1月に一挙に焦点化。

●68年6月以降は、「読売」のほうが「朝日」よりも記事数は多く、振幅も激しい。

なっている筈《はず》なのに、相変らず何かのたびに新たに地に墜ちるという摩訶《まか》不思議な現象！　それが『東大の権威』という世の中のイメージ自体の滑稽さを象徴している。それは羨望と憎悪とコンプレックスとの『東大』への投影《プロジェクション》なのだ。もしそんなに本当に『地に墜ち』たものなら、何でそんなに気にするのか。どうして自分に関係ない、つまらない事柄として黙殺しないのか」と、「東大」を語り続けるメディアを冷笑しています。[*56]このように大学紛争が東大、それも安田講堂に焦点化し、その物語が語られ続けることについて、丸山はその根底に日本社会全体に潜む、東大を羨望し憎悪する立身出世の平等主義があると批判をしているのです。

こうしてメディアが演出していく「東大紛争」のイメージを象徴するのが「安田講堂の破壊」というイメージの創造でした。今、見ていただいている写真は、一九六九年一月一八日、一九日の「安田砦の攻防」の直後の安田講堂で、破壊され尽くしています（図版⑥）。

しかし、全共闘は六か月以上にわたって安田講堂を占拠していたのですが、実は六八年一二月までは破壊はまるでなかったのです。実際、加藤執行部は六八年一一月に二回、安田講堂内部に入っています。そのときのことを回想して、彼らは学生が占拠している安田講堂に入ったけれども、印象としては中が思ったほど荒れていない。いろいろなものが積み上げられてはいたけれども、案外、汚されていない。「破壊は全然なかったですね」「よごれてはいたけれども、

⑥1969年1月19日以後の安田講堂（写真：毎日新聞社/アフロ）

特にどうということはなかった」と語っています。[*57]

山本義隆さんも、機動隊が入る直前まで、安田講堂は汚れてはいても破壊はまったくなかったと述べています。実際、写真を見ていただければわかりますが、これは六八年の一一月ごろの写真です（図版⑦）。全然、破壊されていません。つまり、全共闘の学生たちによる安田講堂の破壊というイメージは、メディアが捏造《ねつぞう》したイメージだったのです。全共闘は「権威の象徴」である安田講堂を破壊していったのだというイメージ。これは実はフェイクだったのですが、紛争後、何度もメディアで再演されていくことになります。

このようなメディアのまなざしのなかで演じられる第四幕では、それまで紛争のドラマに参加していなかった新しい人物も登場してきます。その

⑦1968年11月ごろの安田講堂（撮影：渡辺眸）

代表が、佐藤栄作首相でした。佐藤首相は、紛争が終わるとすぐさまこの安田講堂にやってきて、荒れ果てた講堂を見て回る。この佐藤首相が視察する様子を、テレビや新聞が一生懸命報道し、首相のまなざしにさらされる荒れ果てた安田講堂の風景に全国民が接します。

しかも、この佐藤首相が安田講堂を巡視する演技は自分が振り付けたと、劇作家の山崎正和さんは後に語られています。御厨貴《みくりやたかし》先生たちのオーラルヒストリーで、山崎さんは、紛争が終わって演出も必要だろうと、自分は総理に作業服を着せ、長靴を履かせ、安田講堂の前を歩いてもらったと語っているのです。*58 ただし、この御厨先生のオーラルヒストリーの場に参加していた苅部直《かるべただし》さんによると、山崎さんのこの証言はちょっと怪しく、彼は演出家だから、若干話を作っているかもしれないとのことでした。真相はわかりませんが、少なくともこのドラマには総理も含めて参入してきたということです。

さらに、紛争が終わってしばらくすると、自民党文教部会や財界から、加藤執行部が学生団体との間に交わした確認書に批判が集中していきます。要するに、あそこで加藤執行部は学生たちに譲歩しすぎているという批判です。そして、その批判の先で、どうも東大に任せておいては危ういから、政府主導で大学全体の改革を進め、そのなかで東京大学の改革も考えるべきだとの議論が浮上してきます。こうした議論のひとつの結果が、大学院大学設置構想でした。大学の研究と教育を分けるということです。この大学院大学構想は、一九九〇年代以降、大学院重点化などの政策として実現していきます。実際、私がずっといた情報学環も、これは大学院だけの研究科として実現可能になってきたわけです。そのような文脈に自分たちも置かれていたことを再認識する必要があります。

第四幕第二場

このようなメディアイベント化と政治的反動に導かれる第四幕のなかで、しかしそうした基調とは拮抗《きっこう》する、むしろそれとは正反対ともいえる認識の地平が浮上してきていたことを、私は再び、新聞研助手に採用される以前の自分自身、この東大キャンパスでの私にとってのもうひとつの原点に立ち戻ることで最後にみなさんにお伝えしておきたいと思います。

ご存じの方もいらっしゃると思いますが、学生時代の私には、演劇とのかかわりと並行して、もうひとつの原点がありました。もちろん、見田宗介＝真木悠介先生の「見田ゼミ」です。一九七六年に東京大学理科一類に入学した私は、その後の演劇とのかかわりから「文転」を決意するのですが、その前後から見田ゼミにかかわり、八王子セミナーハウスなどでの合宿に頻繁に参加していました。私が見田ゼミに深くかかわるようになったひとつの契機は、自分が如月小春さんの劇団での活動のなかで悩んでいた問題をやや論文調にして見田先生にお送りしたら、見田先生から「面白かった」という独特の字のおハガキをいただいたことでした。以来、私は見田＝真木の思想と自分が現場で考えようとしていることとがどこかでつながる、そこから学ぶべきものが多大にあると信じてきました。

その見田先生は、多くの著作を「真木悠介」の名前で書いてきました。「真木悠介」はいったいいつ、なぜ生まれたのかという、私たち元見田ゼミメンバーの多くを悩ませてきた疑問は、そのメンバーの一人である佐藤健二さんによる綿密な検証でほぼ決着がついています。佐藤さんが実証的な手つきで証明したように、「真木悠介は、大学闘争の場で提起された根源的な問題への、応答責任を果たすために生みだされた主体」だったのです。[59] したがって、「真木悠介」は見田宗介の「ペンネーム」ではありません。むしろ、若手教員として東大闘争に直面し、学生たちが「組織としての学部や大学のあり方だけでなく、研究するということそのものの意義をも問うていた」ことに衝撃を受け、見田先生は「肚《はら》をきめ」たのです。[60] その「肚」の奥底から浮上した主体が「真木悠介」でした。

　そしてこの「肚がきまる」瞬間に書かれていたのが、「態度表明」と題される一九六九年四月二日、つまり一月一八、一九日の「安田砦の攻防」から約二か月後の文章です。この文章も佐藤さんの検証作業のなかで発見されたものなのですが、見田先生はそこで、紛争終結直後における自分の東大内での姿勢としてふたつのことを宣言しています。第一は、「現時点における『授業』の再開を拒否」すること。第二は、大学人としての「本来的な課題と責任を遂行」すること。そのために、①東大闘争の主体となった学生たちとの「私自身の存在を賭けた」対話を追求していくこと、②学部と大学院での授業及びゼミ参加者との連続講演・討論会を開くこと、③問題意識を共有する研究者とのインテンシヴな研究会を開いていくこと、④自分自身の理論的追求とこれらの共同活動を循環させていくことを、全力で追求していくこと。[61] つまり見田先生は、一方では自身が既存の「大学」の一部として機能することを拒絶し、他方ではあくまで〈大学〉で本来的に実現されるべき探究と対話、「授業」ならぬ「講演」や「討論」を実現させせようとしているのです。[*62]

見田先生は、自分がこの姿勢を貫く理由をこう説明しています。すなわち、東大闘争が突き付けたのは、「われわれ教官のうちの多くが全き『善意』にもかかわらず、客観的には抑圧の一環としてしか存在しえなかった」現実でした。紛争の結末は、教官の多くが「みずからを、体制意識の呪縛から解放された者として意識していたにもかかわらず、現実の闘争において真に解放的な機能を少しも果たしえなかった」ことを示しました。この現実を真っ向から身に受けること、すなわち紛争後の状況において、すべての東大教員はその「教官」という存在構造の透徹した対自化からしか再出発できないところへと追いつめられています。もし、この現実に目を塞ぎ、「左に主観的『善意』を抱き、右に該博な対象的『学識』をふりかざしつつ日常性に回帰する」なら、われわれは「自己存在の根底を問われる情況に際会する度に」、再び「機能的欺瞞に転落」し、その帰結は「醜悪な自己保存への居直りか、みじめな善意と学識の右往左往」となるに違いありません。[*63]

それにもかかわらず、六九年春、東大は危機が過ぎ去ったとして「正常化」のプロセスに向かいます。現状、闘争により提起された問いは「何ひとつ解決されていない」にもかかわらず、授業が再開され、改革論議が進んでいます。しかし、この現状が向かう「制度的活動の日常性への復帰は客観的には問題の『圧殺』」にしかなりません。一人の教官として、見田先生はこの「圧殺」に参加するわけにはいかない。なぜなら今は、「根源的な〈総括〉および〈自己批判〉」が授業再開に先行しなければならないからです。

私たちの多くがそこから育った「見田ゼミ」は、おそらくこのようにして誕生したのです。そしてここから出発した真木悠介は、七〇年代を通じ、『人間解放の理論のために』（一九七一年）、『現代社会の存立構造』（一九七七年）、『気流の鳴る音』（一九七七年）、『時間の比較社会学』（一九八一年）という四冊の決定的に重要な著作群を世に問うていきました。本日の話題に引き寄せるなら、真木がここで示した社会イメージは、所美都子らが萌芽《ほうが》的に考えていた社会イメージを、より透徹した長期的な展望として理論化＝言語化したものだったように思います。所さんも見田先生も、その思考回路を貫いていたのは徹底した肯定主義でした。所は「不動の信頼感」を出発点とすることに関し、「人間は本来そうなっているはずだという、楽観主義に賭けてみたい」と述べていました。[*64] 見田先生も、明らかに究極の楽観主義をその思想の根底に置いていました。私は、所の語った「予感される組織」の先にあったはずの社会イメージを、真木悠介の「交響するコミューン」に重ねてみることは可能なはずだと思います。

このような重ね合わせが有意味なのは、まず何よりも、真木は所を含む多くの者が同時代に見ていた「不信」と「信頼」の葛藤に「相剋《そうこく》性／相乗性」という概念を与え、この矛盾をはらむ関係を広大な思想的背景をもつ社会構想論に展開しているからです。

この議論は『人間解放の理論のために』の中核をなすのですが、おそらく所と見田＝真木の微妙な違いは、真木は必ずしも「信頼＝相乗性」を「解放の理論」の絶対的基盤としていないことです。真木は、人間相互の相剋性の先に「最適社会」、その「相乗性」の先に「コミューン」というふたつの社会モデルを理念型として描きます。最適社会とは、「人間たちの〈関係の背反性〉という現実をまず永遠のものとみとめて、これを最も合理的な仕方で調整するシステムを、『有限者の共存の技術』として追求してゆく」構想です。これはいわばホッブズ的世界観で、最適社会は狭義に政治学的な社会構想のモデルです。[*65]

他方、コミューンは「諸個人の〈関係の背反性〉という現実の構造そのものを、根底から止揚することを追求」します。それには、複数主体の「欲求の背反性の原理的な否定」を避けて通れません。[*66] つまり、あらゆる「不信」を止揚し、「不動の信頼感」を育んでいく社会の構想力が必要となります。歴史的には、最適社会の構想が市民社会の改革運動として現れるのに対し、コミューンの構想は原初的共同体への復帰運動として再来してきました。そしてたしかに、旧体制の抑圧からの解放の瞬間、欲求の背反性は何度も止揚されてきたのです。その「一切の多様性がのりこえられたこの純粋の溶融状態においては、いわば〈他者〉としての他者はもはや存在せず、複数の〈私〉自身だけが存在する」[67]。

ところが、そうした集団が持続するには、「各成員が、（たとえ暗黙のうちにせよ）将来もうらぎることがないという未来の自己限定を抵当に、他者たちの未来の同様な限定を確保」せねばならなくなります。このような限定を効力あるものとするのは、「可能なうらぎりへの粛清の恐怖《テロル》」です。結果的に、溶融的なコミューンの先にあったのは、いつも「味方にたいする『友愛の暴力』であり『同胞性＝テロル』」でした。つまり、コミューンは「潜在的な不信と相互の物化する関係をすでに構造化」しているのです[68]。

このようにして真木は、「最適社会」と「コミューン」のアポリア（解決不能性）を、次のように要約していました。すなわち、「集列的な〈最適社会〉の理念においては、人間存在がその共同性の契機から疎外され抽象されて、純粋な個体性としてとらえられ前提されていることとぎゃくに、溶融的な〈コミューン〉の理念においては、人間存在がその個体性の契機から疎外され抽象されて、純粋な共同性としてとらえられ前提されている。したがってそれは原理的に、瞬間としてしか実現されえない。この抽象を強引に持続する現実たらしめようとするとき、たえず頭をもたげてくる諸個人の個体性の契機を、暴力的に否定しつづける以外にはない。したがってそれは必然的に、全体性の名における多様性の暴力的な抑圧の体系に転化せざるをえない」[*69]。この窮状を、真木は「稀少性の世界における多数性という、人間とその歴史との基礎的な条件[*70]」を媒介に乗り越えようとするのですが、その構想の軸線は、「態度表明」での「持続的な理論形成・人間形成活動」と直結しています。

後引口上

話をまとめましょう。私はこれまで、東大紛争を〈上演〉として捉えることを強調してきました。すでにお話ししたように、この〈上演〉には時間構造と空間構造があります。時間構造では、東大紛争は四幕劇です。第一幕は〈糾弾劇〉でした。医学部を舞台に学生たちと教授会が厳しく対立していましたが、一般学生はまだ舞台に上がっていません。舞台と客席の間には境界線があって、一般学生は遠目にドラマの進行を見守っていました。ところが六八年六月一七日、この状況が劇的に転換します。一般学生が舞台の上にどんどん上がってきて、舞台と客席の境界線がほとんど消え、ドラマは〈祝祭劇〉へと転化します。ところがこの〈祝祭劇〉が続くのは、同年一〇月くらいまでです。一一月以降、全共闘と加藤新執行部の交渉は決裂、学生たちの間での内ゲバが激しくなっていく。そうすると、安田講堂を占拠していた若者たちは〈悲劇〉への道を歩み始めるのです。

今、「悲劇」という言葉を使いましたが、ギリシャ古典以来、悲劇の結末は決まっています。常に、主人公が破滅するのです。主人公は、自分がそのような破滅に向かって歩んでいることを半ば自覚しています。オイディプスであれ、リアであれ、マクベスであれ、自分が破滅に向かっていることはわかっている。でも、そのドラマのなかに入ってしまうと、破滅に向かうドラマの流れに抗えない。それが、悲劇のドラマトゥルギーなのです。一九六八年の一一月、一二月と、まさにこの安田講堂で悲劇のドラマトゥルギーが機能し始めたように思われます。そして、一月一八日、一九日のラストシーンにいたる。

さらに、一月一九日を過ぎると、東大紛争の〈上演〉は、〈メディアイベント〉になっていきました。テレビや新聞や週刊誌、ニュース映画などで繰り返し報道されていく。衝撃的な映像とともに報道されるメディアイベントに「紛争」は転化していきます。そのメディアイベントは現在まで続いているわけです。そしてこの〈上演〉において、先ほど触れたクリスティン・ロスが述べていたように、集合的な記憶の政治学が働き始める。つまり、かつて起こったことの記憶が、語りの饒舌《じょうぜつ》さを通じて組み替えられていくのです。ですから私は、それらを異化することを目指し、なんとかこの現場から東大紛争を演じ直すことで、メモリー・ランドスケープといいますか、記憶の場を立ち上げ直す挑戦をしたいと思ったわけです。

そんなわけで、この最終講義が目指したのは、山本義隆や所美都子、あるいは丸山眞男や坂本義和、そして見田宗介の思想の深みに分け入ることではありません。そうではなくて、一九六〇年代末という転形期の歴史の瞬間にほぼ同時的に芽生えていた問いを、同時代の〈上演〉としての東大紛争の演劇的な時間と空間の広がりのなかに位置づけていくことでした。

つまり私は、思想（＝〈台詞〉）や実践（＝〈演技〉）には、その生成の地政学的な布置があると考えています。一九六八年から六九年にかけての東大安田講堂は、まさにそのような地政学的な〈舞台〉だったのですが、同じ〈上演〉の地政学は、同時代の東大新聞研究所の研究生室にも、「本郷」に対抗する駒場キャンパスにもあり、私自身の具体的経験では、一九七〇年代半ば、駒場キャンパスの片隅に存在した通称「駒場小劇場」にも息づいていました。東京大学の外に目を転じれば、同じ地政学が、一九七〇年ごろの新宿西口広場にも、またその東口の花園神社あたりにもあったはずです。私自身の関心は、いつもそうした〈上演〉の場の地政学的な布置とそこから発生する〈台詞〉や〈演技〉の空間―時間的な関係にあります。

そして、私自身もまた、そのような〈上演〉の地政学のなかで発生したひとつの役であったと、つくづく思います。すでにお話ししたように、私は一九七六年に東大に入り、学部と大学院の時代を見田ゼミで過ごしました。その見田ゼミが、実は東大闘争への応答可能性として生まれていたことはすでに話しました。そして、私にとっては見田ゼミでの研究生活の先に新聞研究所への雇用がありました。その新聞研の研究生制度が、かつて学生運動家たちの溜まり場になっていたことはすでに話しました。私が新聞研に採用された一九八七年には、日高六郎先生も香内三郎先生もこの研究所から去られていました。今から考えれば、おそらくこのお二人がすでに新聞研を去られていたことと、まだ若い研究者の卵だった私がそこに採用されたことには、ある種の因果関係があったのだと思います。つまり、当時の新聞研から日高六郎、香内三郎という二人の教授がいなくなっていた。そこに穴が開いていたのですね。吉見俊哉はおそらく、この穴を埋める一人として、新聞研に招き寄せられたのだと思います。そして、それから三六年、私はこの組織に在籍し続けました。

ですから私は、今日、お話しした〈上演〉としての東大紛争の最も広い意味での登場人物の一人だったのであり、私の今日の最終講義は、それ自体がある意味で「東大紛争」というドラマの長い第四幕のなかの劇中劇のひとつだったのです。今、私がその舞台の上に立っている安田講堂が、東大紛争の舞台として焦点化されていった場所だったというだけでなく、私が東大において歩んできた軌跡全体が、ある意味で東大紛争をめぐるさまざまなプロセスのなかで生み出されてきた場所だったとも言えるわけです。そして今、この講義を最後として、私は舞台から降ります。つまり、それらの場所から離れるわけです。私自身は、舞台から降りて別の劇場に移ろうと思っているわけですけれども、もちろん私がいなくなった後も、東京大学や新聞研究所というか情報学環、そのいろいろな場所ではドラマが続くのです。ドラマは続いて、私ではない別の役者がそれぞれの役を演じていく。この続いていくドラマを、私はどこか遠くの客席か別の舞台から、楽しみながら観《み》ていきたいと思っています。

非常に長い間、私はこの東大、あるいは情報学環、新聞研究所の多くのみなさまに大変お世話になりました。これで私の講義は終わりです。誠にありがとうございました。

謝辞

愉快な、忘れがたき対話の日々であった。もともと本書の企画の中心となった山口誠さん（獨協大学教授）、柴野京子さん（上智大学教授）、それから並行する企画（難波功士・野上元・周東美材編『吉見俊哉論』人文書院、二〇二三年）を先導した野上元さん（早稲田大学教授）を中心とする大学院ゼミOBの方々から、私が東大を去るにあたり、特別ゼミを連続開催し、それを何らかの本にまとめたいとのご提案があったのは、退職の二年近く前であった。

私はこの提案に、もしそのような場を設けてくださるなら、「アタック・ミー！」を復活させてみてはどうかと返した気がする。「アタック・ミー！」とは、私が二〇〇〇年頃から東大の大学院ゼミで採用していた授業形式で、参加学生がその回に取り上げる私の文献を徹底的に「叩く」というものだった。この授業には鉄則があり、「褒めるな」「要約するな」「質問してはいけない」、つまりポジティブないしニュートラルな発言は禁じられ、徹底して目の前の教師の著作を批判することが要求された。細かなアラ捜しでも、論理の綻びの発見でも、学問的立場への批判でも構わなかった。放たれる無数の矢に、精一杯、私は防戦を試みていた。

この方式の教育的含意は別に論じたことがあるので割愛するが、もういずれも全国各地の大学で教授や准教授になられ、メディア研究や社会学を牽引されているＯＢ・ＯＧのみなさんに、私が再び「アタック・ミー！」の相手になると申し出ることなど恐縮至極なのだが、私にはそれが、「吉見俊哉とは誰か」に対話的に答える最良の方法と思えていた。みなさんは、その方向で私の諸著作を五つのテーマに分け、それぞれで最適の「叩き台」となる文献を抽出し、担当者を決めてさまざまな角度からの矢を用意してくれた。特別ゼミは、この放たれる矢を私が受けて応戦する形で、七回にわたり柴野さんが勤める上智大学の会議室および集英社で行われた。

本書はそのやりとりの記録をコアとしている。つまり、本書は単に東大吉見ゼミ出身者が私にインタビューをした記録ではない。むしろ、かつて大学院授業で行われていた対話形式を、一方は定年近くまで年を取り、他方は各地の大学で教育歴、研究歴を積む歳月を経た、そうした新たな関係の地平で、私の人生自体を素材に再演することを試みた記録である。

そのなかで、私は「吉見俊哉」とは要するに〈上演〉なのだと答えさせていただいた。つまりそれは、演じる主体でもあり、演じられた役でもあり、そのような演技を可能にする場でもあるのだと自分では了解している。そう考えながら長い学者人生を過ごした著者を相手に交わされた本書のやりとりは、それ全体が上演的な風貌を帯びることになったのではないかと期待している。本書の各章で、質問者は吉見に攻撃を仕掛ける「門下生」を演じ、応答者はこれに反撃する「師」を演じている。しかも、そこで論じられる私の諸著作は、多くが広義に上演論的視座からの現代社会の分析だったから、本書は重層的に劇中劇の構造を内包している。

このことを改めて強調するのは、本書の「さらば東大」というタイトル自体が、そうした上演的ふるまいの一部だからだ。終章が示すように、著者はその最終講義で、「東大紛争　1968—69」を事件の現場であった安田講堂で語りながら東大から去るといういかにも芝居がかった演技をしている。私は、『さらば東大』もまたそうした芝居がかった演技の一部であることを否定しない。なぜなら、書物は元来、知の劇場の一種にほかならないはずだから。

最後に、一連の特別ゼミを通じ、前述の山口さんと柴野さんと野上さんに加え、瓜生吉則さん（立命館大学教授）、金成玟さん（北海道大学教授）、周東美材さん（学習院大学教授）、難波功士さん（関西学院大学教授）、新倉貴仁さん（成城大学准教授）、河炅珍さん（國學院大学准教授）など、多くのOBから鋭い問いかけをいただいたことに心から感謝している。他にも最終講義の準備過程で実に多くのゼミOB・OGのみなさんから助力や助言を受けており、言葉に尽くせぬ感謝の気持ちでいっぱいだ。本当にありがとう。

二〇二三年九月一九日　最終講義から半年後に

吉見俊哉

註

序章

＊1　如月小春『都市民族の芝居小屋』筑摩書房、一九八七年、一四頁。

＊2　この事件の犯人として逮捕され絞首刑が執行された永山則夫が、最初にガードマンをピストルで射殺したのは、一九六八年、東京プリンスホテルのプールサイドでのことだった。芝公園内のその場所は、江戸時代は壮麗な伽藍《がらん》の並ぶ芝増上寺の境内だった。多くの徳川将軍たちが埋葬されていたその土地を、戦後のドサクサのなかで西武鉄道の堤康次郎が手に入れ、将軍たちの墓を移転してまで建設したのがホテルとゴルフ練習場だった。つまり、東京プリンスホテルは、そもそもの場所の記憶を抹殺した、戦後の虚構の繁栄の舞台だった。そこで永山は、間近に東京タワーを眺めながら、屈折した絶望の中で最初の殺人を犯すのである。見田先生はここで触れた論文「まなざしの地獄」（初出は「展望」筑摩書房、一七三号、一九七三年五月、九八―一一九頁）において、東京という「舞台」に〈上京〉する若者の挑戦が、この劇場で虚構の役を演じようとして破滅していくまでのドラマトゥルギーを見事に描いた。すなわち、N・N（永山則夫のこと）にとって〈上京〉は、単なる空間的移動を示していたのではない。むしろそれは、客席から舞台に上がる行為、いままで壁の向こうに覗《のぞ》いていた世界に、自ら壁を跨《また》いで入っていくことを意味していた。故郷において、ベニヤ板一枚を隔てた飲み屋の乱痴気騒ぎを、そしてまたスクリーンに投影された向こう側の幻想世界を、N・Nは貧しさのなかで覗き続けた。しかし、東京に出郷してきた人々は、家郷にとっての他者というだけでなく、東京に対しても他者であった。都市

の他者でありながら、それでも彼らは、東京が要求する自己を演じようとした。東京が集約的に具現していたのは、近代都市におけるまなざしと実存との落差である。つまり、一九六〇年代の東京の劇場性は、他者のまなざしと自己の実存との間の著しい落差の感覚を含む。その裂け目の存在をおぼろげに予感しながら、N・Nは「金の卵」という与えられた役柄から脱出していく。

＊3　佐藤健二『真木悠介の誕生――人間解放の比較＝歴史社会学』弘文堂、二〇二〇年、一四二頁。

＊4　東京大学の学部生時代、見田宗介先生のほかに、私には三人の「恩師」がいた。一人は、カール・マンハイムやジェルジュ・ルカーチ、戸坂潤など二〇世紀初頭の社会思想史をテーマとしていた社会学者の馬場修一先生で、馬場先生のゼミには学部前期課程のころから参加していた。その当時だったと思うが、馬場先生はレイモンド・ウィリアムズの著作を翻訳されようとしていた。もう一人は、ここで触れている社会学者の栗原彬先生で、私は栗原先生の管理社会論に感銘を受け、そのことを見田先生に話すと、見田先生が栗原先生に私を紹介してくださった。栗原先生もまた一貫して上演論的なパースペクティブからその社会学を展開されてきた方で、水俣への視座など私は多くを学んでいる。そしてもう一人は、建築家の原広司先生で、私は原先生のゼミにも出席していたのだが、それが縁で卒業後の一年間、当時は六本木にあった生産技術研究所の原研究室に研究生として参加した。馬場先生は故人となられたが、栗原先生、原先生との交流は今も続いており、私は目下、原先生との対談集の出版を準備している。

第一章

＊1　都市社会学的には、『都市のドラマトゥルギー』（弘文堂、一九八七年）は、シカゴ学派都市社会学

の日本的展開を進めた磯村英一氏の盛り場論や第三空間論、「なじみ社会」論の延長線上に位置づけられる。そのため、磯村門下の奥田道大《みちひろ》先生には若いころから何かと声をかけていただいていた。他方、都市記号論で当時の知的潮流を導いていたのは前田愛氏であった。私は、まだ学部学生のころだったかもしれないが、見田宗介先生の紹介で当時は立教大学で教えていた栗原彬先生のところにご指導を受けに行っていた。栗原先生は私や友人たちのために勉強会を組織してくれて、私の発表のコメンテーターに、当時同じ立教大学にいた前田愛先生を招いてくださった。まだ稚拙な発表で前田先生とスリリングに対話することなど当時の私にはまったくできなかったが、そこまでの配慮をしてくださった栗原先生に今も深く感謝している。そうした一方、同時代に最も華やかな活躍をしていた山口昌男氏などの文化人類学者とは、私はあまり縁がなかった。後の話では、山口氏は見田先生をかなり意識していたようだから、社会学と人類学の間に何か私には知りえない文脈があったのかもしれない。ただ、同じ文化人類学でも、青木保先生とは一九九〇年代以降、新聞研究所から改組した社会情報研究所のプロジェクトで深くお付き合いさせていただくことになる。

＊2　この仮説の原型は、すでに吉見「現代都市の意味空間――浅草・銀座・新宿・渋谷」（「思想」岩波書店、七二八号、一九八五年二月）において示されている。

＊3　吉見『都市のドラマトゥルギー』一一頁。

＊4　ミシェル・フーコー『監獄の誕生――監視と処罰』田村俶訳、新潮社、一九七三年。

＊5　天皇巡幸については、吉見「天皇巡幸のイメージ戦略――明治国家形成と祝祭性の構造変容」（「imago」青土社、一九九〇年一月〈創刊〉号、一六〇――一七五頁）を参照。この論文の原型となった

草稿を私は八〇年代後半にいくつか書いている。未完成のその草稿を、まだ誕生まもない国際日本文化研究センターの研究会で発表したことがあるが、そこで私がやろうとしていたことを非常に高く評価してくださったのは飛鳥井《あすかい》雅道先生だった。宮中の蹴鞠《けまり》と和歌を家職とする公家の家系に生まれた飛鳥井先生は子供のころから天皇家の人々のことを知っており、天皇裕仁に対して強い批判的感覚を抱き続けていたことはよく知られている。そのような飛鳥井先生にも、私は深い感謝とある恐縮の気持ちを抱き続けてきた。他方、この日本語論文を発展させたものとして、仏語論文だが「アナール」誌に掲載された Shunya Yoshimi, "Les rituels politiques du Japon moderne: Tournées impériales et stratégies du regard dans le Japon de Meiji（政治的儀礼としての日本近代――明治日本における天皇巡幸）" ("*Annales*" Vol.50, no.2, 1995, pp.341-371）がある。加えて、これらの研究を進めるなかで、当時はカリフォルニア大学サンディエゴ校で教えていたタカシ・フジタニ氏と懇意になったのも忘れ難い思い出である。伊勢参り（およびお蔭参り）については、吉見「境界としての伊勢――明治国家形成と〈外部〉の変容」（赤坂憲雄編『方法としての境界』叢書・史層を掘るI、一九九一年、新曜社、一一―六二頁）を参照。運動会については、吉見「運動会という近代――祝祭の政治学」（「現代思想」青土社、二一巻七号、一九九三年七月、五五―七三頁）を参照のこと。運動会の論文には、その後のいくつかのバージョンがある。

＊6　東京ディズニーランドについては、「遊園地のユートピア――八〇年代日本の都市戦略」（「世界」岩波書店、五二八号、一九八九年六月、二九三―三〇六頁）を参照。ちなみに、この論文掲載時の岩波書店「世界」編集部の担当者は、後に学者に転身して活躍していくことになる小熊英二氏であった。米

軍基地の文化については、英語論文になるが、一九九〇年代後半から私自身も発刊メンバーに参加してきた「インターアジア・カルチュラル・スタディーズ」誌において、Shunya Yoshimi, "'America' as Desire and Violence: Americanization in Postwar Japan and Asia during the Cold War（欲望としてのアメリカ 暴力としてのアメリカ——冷戦期アジアと日本におけるアメリカ化）"（"*Inter-Asia Cultural Studies*" Vol.4 No.3, 2003, pp.433-450）においてある程度まとまった議論をしている。

＊7 イマニュエル・ウォーラースティン『近代世界システム——農業資本主義と「ヨーロッパ世界経済」の成立』川北稔訳、岩波書店、一九八一年。

＊8 原広司『集落の教え 100』彰国社、一九九八年、一八—一九頁。

＊9 モーリス・メルロー＝ポンティ『知覚の現象学』竹内芳郎他訳、みすず書房、一九六七、一九七四年。

第二章

＊1 吉見俊哉・若林幹夫・水越伸『メディアとしての電話』弘文堂、一九九二年。

＊2 社会情報研究所で推進された高度情報社会をめぐる共同研究で、私が世話役をやらせていただいた諸々の研究プロジェクトは、東京大学出版会から「情報社会の文化」という全四巻のシリーズにまとめられた。その構成は、メディアの越境的なネットワークがいかにしてアジア全域で相互依存と相互理解の可能性を強めつつアジア異質論や「文明の衝突」の懸念を増殖させているかを探った第1巻『情報化とアジア・イメージ』（青木保・梶原景昭編）、情報化・消費社会化のただなかで、膨大なイメージの群

れがどのように人々の思考や身体感覚を包括的に巻き込むようになったかを探った第2巻『イメージのなかの社会』(内田隆三編)、グローバルに展開する情報技術が私たちの美意識とメディア観、文化の創造と消費の間にある入り組んだ関係をどう変化させたかを探った第3巻『デザイン・テクノロジー・市場』(嶋田厚・柏木博・吉見俊哉編)、祭りやイベント、心理ゲームや精神世界などを取り上げながら、宗教や倫理の領域を中心に情報化による心情の変容があることを捉えた第4巻『心情の変容』(島薗進・越智貢編)から構成されている。

＊3 たとえば、ロバート・エズラ・パーク「新聞発達史」(パーク他『都市――人間生態学とコミュニティ論』大道安次郎・倉田和四生訳、鹿島出版会、一九七二年、八一―九八頁)、あるいはパーク「知識の一形式としてのニュース」(パーク『実験室としての都市 パーク社会学論文選』町村敬志・好井裕明編訳、御茶の水書房、一九八六年、一八一―二一二頁)を参照。ある意味で、アメリカの都市社会学とメディア研究の近さは、彼らの研究視座に大きな影響を与えていたゲオルク・ジンメル以来のものでもあったように思う。ジンメルの社会学は、個人の主観と歴史の関係を問うマックス・ウェーバーとも、社会的事実として作用する集合的な意識と考えるエミール・デュルケームの社会学とも異なり、窓や橋から貨幣まで、さまざまな形式の関係性や媒介様式を問うていた。その発想は、優れてメディア論的なところがあり、シカゴ学派にもその片鱗《へんりん》があったように思う。

＊4 ヴァルター・ベンヤミン『パサージュ論』全五巻、今村仁司他訳、岩波書店、一九九三―九五年。ベンヤミンの都市論とメディア論は、一九七〇年代に知的形成をしていた学生たちに大きな影響を与えていた。とりわけ私は当時、粉川《こがわ》哲夫や津野海太郎といった演劇論と都市論、メディア論とをつなぐ批

評家たちの本をよく読んでいたが、その背景にベンヤミンやブレヒトがいたことはいうまでもない。

＊5　マニュエル・カステル『インターネットの銀河系――ネット時代のビジネスと社会』矢澤修次郎他訳、東信堂、二〇〇九年。クロード・S・フィッシャー『電話するアメリカ』吉見俊哉他訳、NTT出版、二〇〇〇年。

＊6　David Morley, *Communications and Mobility: The Migrant, the Mobile Phone, and the Container Box*, Wiley Blackwell, 2017

＊7　ロジャー・シルバーストーンのメディア論については、『なぜメディア研究か――経験・テクスト・他者』（吉見俊哉・伊藤守・土橋臣吾訳、せりか書房、二〇〇三年）を参照。

＊8　吉見俊哉「シミュラークルの楽園――都市としてのディズニーランド」（多木浩二・内田隆三編『零《ゼロ》の修辞学――歴史の現在』リブロポート、一九九二年、七九―一三六頁）を参照。

＊9　文学テクストを論じたものとしては、たとえば「速度の都市――漱石のなかの東京・研究ノート」（『漱石研究』翰林書房、五号、一九九五年、一一一―一二二頁）があり、広告イメージを論じたものとしては、たとえば「テレビ・コマーシャルからの証言」（『アド・スタディーズ』四一号、二〇一二年、一五―二五頁）や「メイド・イン・ジャパン」（嶋田厚・柏木博・吉見俊哉編『デザイン・テクノロジー・市場』情報社会の文化3、東京大学出版会、一九九六年、一三三―一七四頁）などがある。また、映像テクストについて論じたものとしては、「キネマ旬報」誌に二〇一二年六月から二〇一四年五月までドキュメンタリーを中心に映画評を連載してきた。しかし、これらはいずれも時々の必要に応じて単発的になされた分析であり、学問的な意味で本格的な考察とはいえない。他にも、特定のテクストを論じた論考やエ

ッセイ、作品評がないわけではないが、その作品評を発展させて本にすることはしていない。

＊10　フェルナン・ブローデル『世界時間2――物質文明・経済・資本主義　15―18世紀　Ⅲ―2』（村上光彦訳、みすず書房、一九九九年）。

＊11　マーシャル・マクルーハン『メディア論――人間の拡張の諸相』栗原裕・河本仲聖訳、みすず書房、一九八七年、三五七頁。

第三章

＊1　日本におけるカルチュラル・スタディーズ導入期の状況に関しては、吉見『アフター・カルチュラル・スタディーズ』（青土社、二〇一九年、四八―六二頁）を参照。

＊2　こうしたトランスナショナルな展開に関しては、同前（一一〇―一三五頁）を参照。

＊3　こうしたカルチュラル・スタディーズ概念をより本格的に論じたものとしては、吉見『カルチュラル・スタディーズ』（岩波書店、二〇〇〇年）がある。

＊4　見田宗介『現代社会の社会意識』弘文堂、一九七九年、一―五七頁。

＊5　この点については、とくに、吉見『現代文化論――新しい人文知とは何か』（有斐閣、二〇一八年、三―二〇頁）において論じている。

＊6　私がここで言及しているのは、前掲「境界としての伊勢――明治国家形成と〈外部〉の変容」である。この論文で私が照準したのは、一八九〇（明治二三）年に起きたお蔭参り現象だった。私は当時の新聞記事から江戸時代を通じた伊勢参りの民衆的記憶がどのように再想起されていたかを考察した。一

八三〇（文政一三）年のお蔭参りから六〇年後のこの年は、再び伊勢への大規模な巡礼運動が起こる年と考えられていたようで、さまざまな兆候が前年から観察されていた。たとえば、江戸時代にお蔭参りの触媒となっていた御祓降《おはらいぶ》りの動きが各地で生じていた。拙論では、前年の一八八九年一二月末の「津市に於《おい》ても西町塔世町辺の三ケ所に真新しの神宮祓を散布したる者ありて、老婦どもは一時肝を潰せしといふ」との報道や、翌一月の「奄芸《あんげ》郡黒田村鈴木某の屋上へ此程大麻天降《このほどおおぬさあまくだ》りしとて、同主人は神恩報酬の為め神宮祈禱所に趣《おもむ》き、金若干円を奉納し、祈禱を願ひ出し」といった報道を例に、地方や農村部の集合意識にある期待感が広がっていたことを指摘している。さらに、一八九〇年になると子どもたちの抜け参りの動きも生じていた。私は、この年四月の伊勢新聞に「岐阜県下美濃国郡上郡東又村四番屋敷平民平沢吉之助（十三年）なるものは、自宅より叔父の許《もと》に何か所用のありて使に行きたる帰途、俄《にわ》かに御蔭参りの事を思ひ立ち、単身にて居村を脱し、参宮に出掛けしが、去月廿八《にじゅうはち》日県下一志郡六軒辺まで来りし頃、之《こ》れも御蔭参りを為《な》す朝明郡東富田村大字南町杉田小太郎（十四年）、同妹アヱ（七年）、同所佐藤徳次郎（十二年）、同妹ミツ（七年）の四人の小児に出逢《であ》ひ、其の扮装《いでたち》の如何《いか》にも脱参《ぬけまい》りの如く思はるゝより懇意になりて、段々問ひ合したるに、果せるかな飯後遊びに行くとて宅を出《い》で、不《ふ》図《と》御蔭参りの事を思ひ立ちしかば、爰所《ここ》まで来りし事を話せしものより、弥《いよい》よ意気相投合して倶《とも》に宇治山田に到り」といった報道があることに注目していた。このように、一八九〇年のお蔭参りは、御祓降り、抜け参り、施行といった江戸時代のお蔭参りを特徴づけていた諸要素を含んでいたのだが、こうした連続性はあくまで事態の一面にすぎなかった。その一方で、伊勢をめぐる人々の心性や制度的条件の決定的な変化がすでに進行していた。目を凝らすならば、お蔭参りをめぐるさまざまな民衆的記憶が、文明開化に向かう時代の意識によって裏切られていく過程を観察できる。つまりここには、近世的な記憶と近代の諸制度が、複雑に絡まり合いながら作用していた。拙論では、この絡まり合いを、一方では民衆的心性の持続と変容のプロセスとして、他方では権力のトポロジカルな布置の変化として問うていた。

＊7　このようなテーマに私が取り組もうと考えたのはかなり古い。私自身の東京大学教養学部での卒業論文は一九八一年三月に書かれているが、そのタイトルは「スペクタクル空間と権力の社会理論に向けて」というもので、上演論的なアプローチを現代のスペクタクル空間に適用していこうという展望を示すものであった。論文前半は、人類学的儀礼論やギリシャ悲劇からシェイクスピア劇までの演劇史を再検討したものとなっており、内容の巧拙はともかく、演劇と現代社会学をつなぐという企図を、私は学部時代からもち続けていたことになる。大学院生のころだと思うが、当時、京都大学にいらした経済学者の佐和隆光《さわたかみつ》先生の研究会に出ていて、そこで『博覧会の政治学』の原型となる報告をしたことがある。たまたま出席していた、当時は『構造と力』（勁草書房、一九八三年）により「ニューアカデミズム」のスターだった浅田彰氏から、あなたのやりたいのは「監獄の規律・訓練」ではなく「劇場の規律・訓練」のことですねと、一瞬にして言い当てられたのを今もほのかに覚えている。

＊8　吉見俊哉の著書で、韓国語で翻訳出版されているのは、『博覧会の政治学』『「声」の資本主義』『メディア文化論』『運動会と日本近代』『万博幻想』『親米と反米』『カルチュラル・スタディーズ』『ポスト戦後社会』『大学とは何か』『平成時代』『「文系学部廃止」の衝撃』『グローバル化の遠近法』『メディアとしての電話』『東京スタディーズ』など、中国語（簡体字）で翻訳出版されているのは、『万博幻

想』『「文系学部廃止」の衝撃』『平成時代』など、中国語（繁体字）で翻訳出版されているものは、『メディア文化論』『博覧会の政治学』『「声」の資本主義』『親米と反米』『ポスト戦後社会』などがある。

＊9　このテーマを追究した論文として、吉見「グローバリゼーションとアメリカン・ヘゲモニー」（テッサ・モーリス＝スズキ、吉見俊哉編『グローバリゼーションの文化政治〈グローバリゼーション・スタディーズ2〉』平凡社、二〇〇四年、三四―八五頁）を参照のこと。

＊10　こうした論点を、古代ローマまでさかのぼって文明史的な視座から探究している作業として、吉見『長い崩壊の時代』（集英社新書、近刊）がある。

＊11　見田宗介『現代社会はどこに向かうか――高原の見晴らしを切り開くこと』（岩波新書、二〇一八年）を参照。私自身は、見田先生のような高みには立てないので、諸々の都市論の作業を通じ、なんとか谷底からの見晴らしを切り開きたいと願っている。

第四章

＊1　この議論については、吉見、前掲「グローバリゼーションとアメリカン・ヘゲモニー」（七四―八三頁）を参照。

＊2　吉見『空爆論――メディアと戦争』（岩波書店、二〇二二年）を参照。

＊3　吉見、前掲「シミュラークルの楽園」

＊4　ジョン・ダワー『敗北を抱きしめて――第二次大戦後の日本人』上・下巻、三浦陽一、高杉忠明訳、岩波書店、二〇〇一年。

＊5　ジュネがこの多重的な自己、その間での境界侵犯的な演技のドラマトゥルギーを結晶化させた代表作は、もちろん『女中たち』（一九四七年初演）であったわけで、渡邊守章《わたなべもりあき》が書いているように、女中たちは、まずは「奥様の目から見た女中たちだ。二重、三重に鏡の戯れが始まる。彼女らはまずそのような女中の映像を引き受けてそれを演じようとする。そこには、彼女らを『女中』として成り立たせている奥様の映像が必要である。女中ソランジュがもう一人の女中クレールを演じ、クレールが奥様を演じる。映像の映像、夢の夢として、演戯は『誇張された悲劇的な調子』を帯びている」（「解説――ジュネにおける演劇の構造」『ジャン・ジュネ全集』第四巻、新潮社、一九六八年、四八四頁）。しかし、ここで私が戦後の日米関係をポストコロニアル批評的な視座から論じていることに引き寄せれば、ジュネの作品のなかで、フランツ・ファノンにも通じるコロニアルな自己＝他者の演技＝ドラマトゥルギーを正面から取り上げているのは『黒んぼたち』（一九五九年初演）であろう。これらの演劇においてジュネは、渡邊が明快に解説するように、近代社会が「その無意識界の様々な幻想をそこに映して楽しむナルシシスムの鏡としての演劇を逆手にとって、演劇の上に立てられたもう一つの演劇を作る」ことを試みていたのである（同書、四八六頁）。

＊6　加藤典洋『さようなら、ゴジラたち――戦後から遠く離れて』岩波書店、二〇一〇年、一四五―一八二頁。

＊7　この展望をいわばラフスケッチ的に描いてみたのが、吉見『親米と反米――戦後日本の政治的無意識』（岩波新書、二〇〇七年）であった。したがって同書においては、「アメリカの影」が、戦後日本という舞台でさまざまな「役」を与えられて演じられていく様子や、同時にそのなかで「アメリカ」が不

可視化されていく過程が考察されている。

＊8　このあたりの議論については、吉見、前掲「グローバリゼーションとアメリカン・ヘゲモニー」（六〇―七四頁）を参照。

＊9　加藤典洋『アメリカの影』河出書房新社、一九八五年。

＊10　吉見『アメリカの越え方――和子・俊輔・良行の抵抗と越境』弘文堂、二〇一二年。

＊11　吉見「メキシコ・シティ　1993／94」、「現代思想」二二巻一〇号、一九九四年、三二―五一頁。後に『リアリティ・トランジット――情報消費社会の現在』（紀伊國屋書店、一九九六年）に収録。

＊12　「予言」と言うのは大げさかもしれないが、グリーンブラットがそのドナルド・トランプ批判で好評を博した著書『暴君――シェイクスピアの政治学』（河合祥一郎訳、岩波新書、二〇二〇年）で示したように、ドラマトゥルギー論的には、たしかに「トランプ大統領＝リチャード三世」という等式が成立するのである。したがって、拙著でのこの冒頭のシェイクスピアからの引用に私はかなり思い入れがあり、『リチャード三世』のさまざまな時代の日本語訳を読みくらべた。シェイクスピアの日本語訳には、坪内逍遥《つぼうちしょうよう》から最近の松岡和子まで多くのバージョンがあり、それぞれ非常に異なっている。つまり、オリジナルはひとつなのに、これほど異なる仕方で解釈され、異なる文体の日本語に訳されてきたテクストはない。容易に察しがつくように、ざっくり言えば、坪内逍遥訳が最も文語調であり、小田島《おだしま》雄志《ゆうし》訳が最も口語調である。多くの邦訳は、この坪内訳と小田島訳の中間にある。多様な訳を読みくらべると、二一世紀になって改めて坪内訳の愉快さを再発見する。彼の訳は、明らかに歌舞伎の言語世界を背景にしており、まるで歌舞伎役者の台詞のようにシェイクスピアを訳している。その言葉のリズム

がなかなか痛快で、新しい可能性を感じた。もっとも、拙著で最終的に採用したのは、大山俊一《としかず》訳という比較的地味な訳であった。その理由は、大山訳は一九六〇年代後半の訳で、当時の若者たちの叛乱や大学紛争の雰囲気を最も反映していたからである。政治的闘争の時代に訳されたシェイクスピアは、その訳文のなかにも同時代の闘争の気分が反映している。一九六〇年代の政治的闘争と二〇一〇年代のそれはまるで様相が異なるが、それでも「トランプ大統領＝リチャード三世」という等式を示唆するのに、そんな時代の訳のほうがいいと思った次第である。

＊13　マルコスは、実質的に叛乱全体のリーダーである。しかし、彼があくまで自分は「副司令官」だと言い続けるのは、真の「司令官」は民衆だということを強調するためである。このような言葉ひとつをとっても、彼らサパティスタの自己演出がいかに考えられたものかがわかる。ちなみに、「サパティスタ＝サパタ主義者」という名は、二〇世紀初頭に農民たちの権利を擁護して闘った革命家エミリアーノ・サパタに由来する。サパタと同様、マルコスもメスティーソと呼ばれるインディオとスペイン人の混血で比較的裕福な家に育った教養層と考えられている。一説では、彼の専門は哲学で、メキシコ自治大学で教えていたこともあるらしいが、その後、ゲリラとなり先住民のために生涯を捧《ささ》げている。

第五章

＊1　吉見『大学という理念――絶望のその先へ』東京大学出版会、二〇二〇年、一―三〇頁。

＊2　私自身、二〇一七年から二〇二三年現在にいたるまで、中央教育審議会大学分科会の委員を続けている。同審議会が二〇一八年にまとめた「２０４０年に向けた高等教育のグランドデザイン」答申は、

学修者本位の教育への根本的な転換を正面から掲げており、二〇二〇年代以降の文部科学省の大学政策の転換を方向づけるものとなった。約八〇〇校にまで過剰に膨れ上がってしまった日本の大学が、急激な少子化により整理統合や廃校に向かうことが確実視されているなかで、同答申は、それを受けた「教学マネジメント指針」（二〇二〇年）とともに、今後の大学教育が根本から転換していかなければならない現状と、構築すべき価値や仕組みを明確に提示している。また、同時に強調しておきたいのは、中央省庁の政策決定過程の通俗的なイメージとは異なり、同審議会での議論はほぼ完全に公開され、議事録としてアーカイブ化されているので、現在からでも過去の審議会での各委員（私を含め）の発言をほぼすべてたどり直すことができる。大量の情報だが、メディア等で大学について語る多くのジャーナリストや研究者には、最低限、そうした公開されている情報に目を通してもらいたいと思う。

＊3　この点については、吉見『トランプのアメリカに住む』（岩波新書、二〇一八年、一一三―一一八頁）を参照。

終章

＊1　ピエール・ノラ編『記憶の場――フランス国民意識の文化＝社会史』全三巻、谷川稔監訳、岩波書店、二〇〇二―〇三年。

＊2　ベルトルト・ブレヒト『今日の世界は演劇によって再現できるか』千田是也訳、白水社、一九六二年、一一〇―一三八頁。

＊3　注意深い読者はすぐに気づかれるように、これから小見出しに掲げていく「第〇幕第〇場」という

場面設定と、東大紛争を四幕劇として捉える際の各々の幕は対応しない。前者は、あくまで私が二〇二三年三月一九日に安田講堂で行った「一人芝居」の幕と場の構成であり、後者は文中にあるように〈上演〉としての東大紛争の幕構成である。直接的には、後者の四幕劇は、前者の場面設定の形式を通じて語られていく内容の構成なのだが、しかしこの最終講義の最後では、前者がむしろ後者の〈上演〉の、あえて言えばシェイクスピア的な意味での「劇中劇」であったことが明らかにされるであろう。

＊4　南原＝矢内原改革の両面性については、吉見俊哉編『学生たちの戦後――矢内原忠雄と学生問題研究所』（東京大学出版会、近刊）を参照。

＊5　大綱化・大学院重点化・国立大学法人化については、吉見俊哉『大学とは何か』（岩波新書、二〇一一年、二二一―二三六頁）を参照。

＊6　東京大学新聞研究所東大紛争文書研究会編『東大紛争の記録』日本評論社、一九六九年、ⅰ頁。

＊7　吉見俊哉「東京帝大新聞研究室と初期新聞学的知の形成をめぐって」、『東京大学社会情報研究所紀要』五八号、一九九九年、四五―七一頁。および、吉見「メディアを語る言説――両大戦間期における新聞学の誕生」（栗原彬他『内破する知――身体・言葉・権力を編みなおす』東京大学出版会、二〇〇〇年、一七七―二三七頁）を参照。

＊8　私が新聞研究所に助手として採用されたのは一九八七年だが、当時でも、「昔、この研究所に所さんっていうすごい研究生がいた」ことは、所内の「伝説」として残っていた。私はこの話を杉山光信先生から聞いたのか、荒瀬豊先生から聞いたのか、井上輝子先生から聞いたのか、あるいは他のルートだったのか記憶が定かでない。それ以来、「所美都子」という名は頭のなかにずっとあったが、その思想

の中身を注意深く読んだのは、後に注記する小玉重夫氏や小杉亮子氏らの論考に触発されてである。新聞研究所＝情報学環で人生の長い時間を過ごした私にとっては、所の思想そのもの以上に、彼女が新聞研研究生であったことは決して偶然ではなく、同じく新聞研研究生だった多くの学生運動家たちの一部であり、「研究生室」での友人たちとの対話や指導教員的な役を果たした香内三郎先生との交流が、彼女の思想に何らかの影響を及ぼしていたに違いないことが重要である。

＊9　山本義隆『私の１９６０年代』金曜日、二〇一五年、一〇三頁。

＊10　同前、三三五頁。

＊11　最首悟、序「闘いのエネルギーを」、所美都子『わが愛と叛逆』前衛社、一九六九年、一〇―一一頁。

＊12　香内三郎、序「東大闘争のさなかに」、同前、一二頁。

＊13　同前、二頁。

＊14　私は、新聞研助手をしていたころ、香内三郎先生の夫人で与謝野晶子《よさのあきこ》の研究者でもあった香内信子さんが新聞研図書室の係長を長年されていて、大変にお世話になった。今にして思えば、信子夫人としては、若手で新聞研に入ってきた私に託すところがあったのではないかと思う。彼女は、図書室に収蔵されていた瓦版・新聞錦絵をはじめとする小野秀雄コレクションや戦後、外務省情報部（内閣情報局）が廃棄しようとしていたのを「収集（拾集）」して収蔵することになった第一次世界大戦宣伝ポスターのコレクションについて詳しく紹介してくれた。その後、私は彼女から託された何かを引き受けなければならないという思いもどこかにあり、これらの貴重資料のデジタルアーカイブ化に着手していく。そ

れらのプロジェクトの成果は、木下直之・吉見俊哉編『ニュースの誕生――かわら版と新聞錦絵の情報世界』（東京大学出版会、一九九九年）、および吉見俊哉編『戦争の表象――東京大学情報学環所蔵　第一次世界大戦期プロパガンダ・ポスターコレクション』（東京大学出版会、二〇〇六年）として、すでに出版されている。

*15 香内、前掲、三頁。

*16 島泰三『安田講堂　1968―1969』中公新書、二〇〇五年、i―ii頁。

*17 なかでも特筆すべき記録の集成として、毎日新聞社が一九九八年に刊行した『1968年グラフティ』がある。大学紛争のみならず同時代の多くの写真や当事者の発言が含まれ、貴重である。同書は、二〇一〇年に『新装版　1968年グラフティ』（毎日新聞社）として増補刊行されている。

*18 小熊英二『1968（上）　若者たちの叛乱とその背景』新曜社、二〇〇九年、一一―一八頁。

*19 先駆的には、ジャーナリストとしての当事者性ではあるが、毎日新聞記者だった内藤国夫の『ドキュメント　東大紛争』（文藝春秋、一九六九年）が、紛争の現場のリアリティを生々しく伝えながらもそれを客観化する眼《め》があるという意味で、バランスのとれたルポルタージュであった。

*20 山本義隆『私の1960年代』金曜日、二〇一五年。他に、東京大学百五十年史編纂室「山本義隆氏インタビュー記録」（二〇二一年二月、内部資料）がある。私自身は、同編纂室にかかわりのある者としてこの記録を熟読したが、記録が今後公開されることになるかについては関知していない。

*21『企画展示「1968年」無数の問いの噴出の時代』国立歴史民俗博物館、二〇一七年。および、荒川章二編『「1968年」社会運動の資料と展示に関する総合的研究』国立歴史民俗博物館研究報告

第二一六集、二〇一九年。
＊22　東京大学文書館が収集・保存・デジタル化に取り組んできた東大紛争関連の資料については、東京大学文書館デジタル・アーカイブ（https://uta.u-tokyo.ac.jp/uta/s/da/page/home）から検索できる。
＊23　小杉亮子『東大闘争の語り――社会運動の予示と戦略』新曜社、二〇一八年。小杉に比較的近い視座から東大闘争を含む一九六〇年代のニューレフト運動を扱ったものとして、安藤丈将《たけまさ》『ニューレフト運動と市民社会――「六〇年代」の思想のゆくえ』（世界思想社、二〇一三年）も重要な貢献である。
＊24　佐藤愼一『東大紛争実録』東京大学文書館、二〇一六年。佐藤による紛争関連の著作は、東京大学百五十年史事業の一環として編まれているもので、他にも、『東京大学における大学自治と大学改革の歴史』（二〇一七年）、『東大紛争の基礎知識』（二〇一八年）などがあり、それぞれ情報量が膨大である。
＊25　クリスティン・ロス『68年5月とその後――反乱の記憶・表象・現在』箱田徹訳、航思社、二〇一四年、一三一―一四頁。
＊26　同前、一五一―一九頁。
＊27　同前、一八―一九頁。
＊28　佐藤愼一『東大紛争実録』（第1版）、東京大学文書館、二〇一六年三月、六八頁。
＊29　同前、八五頁。
＊30　山本、前掲書、一五五頁。
＊31　同前、八四頁。
＊32　所美都子の組織論は、小玉重夫や小杉亮子等によって社会運動史や社会思想の視点から論じられて

きた。小玉は、戦後左翼運動史のなかでの全共闘運動の形成を、所美都子の思想に焦点を当てて考察した。小玉によれば、所の思想は「対象に対して最短距離を歩く」目的合理的主体性に対し、「目的物は霧散して、あれこれと歩きまわる」リゾーム的な主体性を対置するもので、ここから集権的ではなく分権的に、垂直的ではなく水平的にという「東大全共闘の組織論に決定的な影響を与える」考え方が生まれていた（小玉「学生運動の一九五〇〜六〇年代と日本のマルクス主義」、吉見編、前掲『学生たちの戦後』）。小杉は、彼女のいう予示的政治の先駆として所の思想を位置づけている。新しい社会運動に代表される予示的政治がそうであるように、所の考える運動組織はヒエラルキーをもたず、「集団間の横の伝達関係からのみ成り立っている」。そうした組織は「生産性の論理に貫かれた現代社会とは異なった、別様の論理に基づく社会関係を具現化する」（小杉「1960年代学生運動における新しい組織像と予示的政治の可能性――所美都子の運動論と1968〜69年東大闘争を中心に」、『大原社会問題研究所雑誌』七五九号、二〇二二年、八―一四頁）。

＊33　所、前掲書、一四八頁。
＊34　同前、一四八頁。
＊35　同前、一四九―一五〇頁。
＊36　同前、一五〇―一五一頁。
＊37　内藤、前掲書、九〇―九一頁。
＊38　同前、九二頁。
＊39　山本、前掲書、一四九頁。

＊40　同前、一五一頁。
＊41　内藤、前掲書、一三八頁。
＊42　同前、一三七頁。
＊43　矢内原忠雄『矢内原忠雄全集』第二十一巻、岩波書店、一九六四年、二〇八頁。
＊44　同前、一五頁。
＊45　折原浩「東京大学の再生を求めて」（一九六八年七月一九日）、『大学の頽廃の淵にて――東大闘争における一教師の歩み』筑摩書房、一九六九年、九八頁。
＊46　同前、九四頁。
＊47　最首悟、吉見俊哉「補論2　六〇年安保闘争の学生と西村秀夫――最首悟氏に聞く」、吉見編、前掲『学生たちの戦後』。
＊48　折原浩「西村先生との出会い」、西村秀夫『教育をたずねて――東大闘争のなかで』筑摩書房、一九七〇年、二九三―二九四頁。
＊49　加藤一郎、坂本義和、福武直他『東大紛争回想会議』東京大学文書館、一九七〇年、一二五頁。
＊50　折原浩「東京大学の頽廃の淵にて」（一九六九年二月二二日）、前掲『大学の頽廃の淵にて』、一六三頁。
＊51　加藤一郎、坂本義和、福武直他、前掲書、一二二頁。
＊52　坂本義和『人間と国家――ある政治学徒の回想』下巻、岩波新書、二〇一一年、四四頁。
＊53　同前、四三頁。

＊54　山本、前掲書、一三三頁。
＊55　丸山眞男『自己内対話――3冊のノートから』みすず書房、一九九八年、一九三―一九四頁。
＊56　同前、二二六頁。
＊57　加藤一郎、坂本義和、福武直他、前掲書、一二七頁。
＊58　御厨貴他編『舞台をまわす、舞台がまわる――山崎正和オーラルヒストリー』中央公論新社、二〇一七年、一二七頁。
＊59　佐藤健二、前掲『真木悠介の誕生』一四二頁。
＊60　同前、一四四頁。
＊61　見田宗介「態度表明」一九六九年四月二日（国立歴史民俗博物館蔵）。
＊62　ここで「大学」と〈大学〉のふたつの概念を使い分けているのは吉見の作為であり、見田によるものではない。一九七〇年代、見田ゼミに集った面々の間では、非常にしばしばこの種の「　」と〈　〉の使い分けがなされていた。「　」は、既存の社会体制のなかで制度や組織、役割に与えられる名称、〈　〉は、そのような制約を解体させつつ可能性として構想される場や組織、役割の名称である。こうした括弧づけによる概念の差異化を一般的におこなうことには疑問があり、一九九〇年代以降、私はこの種の記号を使わなくなるが、それにもかかわらず、一九六〇年代から七〇年代にかけての大学紛争の現場では、「　」と〈　〉の双対的使用が具体的、実践的な有効性をもっていたように思う。いうまでもなくここでは、「大学」は、明治以来、帝国大学を頂点として発達してきた日本の高等教育制度のなかでの大学制度であり、〈大学〉は、本来、旅する教師と学生の共同体として創造されていたはずの学

び舎《や》としての大学である。

＊63　見田、前掲「態度表明」二頁。

＊64　所、前掲書、一四九頁。

＊65　真木悠介『人間解放の理論のために』筑摩書房、一九七一年、一五四―一六九頁。

＊66　同前、一五四―一五八頁。

＊67　同前、一七三頁。

＊68　同前、一七一―一七五頁。

＊69　同前、一八一頁。

＊70　同前、一八八頁。

吉見俊哉　主要著作一覧

タイトル	出版社	出版年
都市のドラマトゥルギー――東京・盛り場の社会史	弘文堂	1987
博覧会の政治学――まなざしの近代	中公新書	1992
メディアとしての電話（若林幹夫・水越伸との共著）	弘文堂	1992
メディア時代の文化社会学	新曜社	1994
「声」の資本主義――電話・ラジオ・蓄音機の社会史	講談社選書メチエ	1995
リアリティ・トランジット――情報消費社会の現在	紀伊國屋書店	1996
カルチュラル・スタディーズ	岩波書店（思考のフロンティア）	2000
グローバル化の遠近法――新しい公共空間を求めて（姜尚中との共著）	岩波書店	2001
カルチュラル・ターン、文化の政治学へ	人文書院	2003
メディア文化論――メディアを学ぶ人のための15話	有斐閣アルマ	2004
万博幻想――戦後政治の呪縛	ちくま新書	2005
親米と反米――戦後日本の政治的無意識	岩波新書	2007
都市のドラマトゥルギー――東京・盛り場の社会史（文庫版）	河出文庫	2008
ポスト戦後社会――シリーズ日本近現代史⑨	岩波新書	2009
博覧会の政治学――まなざしの近代（文庫版）	講談社学術文庫	2010
天皇とアメリカ（テッサ・モーリス＝スズキとの共著）	集英社新書	2010

大学とは何か	岩波新書	2011
万博と戦後日本（文庫版。『万博幻想』を改題）	講談社学術文庫	2011
夢の原子力――Atoms for Dream	ちくま新書	2012
アメリカの越え方――和子・俊輔・良行の抵抗と越境	弘文堂（現代社会学ライブラリー）	2012
「声」の資本主義――電話・ラジオ・蓄音機の社会史（文庫版）	河出文庫	2012
「文系学部廃止」の衝撃	集英社新書	2016
視覚都市の地政学――まなざしとしての近代	岩波書店	2016
大予言――「歴史の尺度」が示す未来	集英社新書	2017
戦後と災後の間――溶融するメディアと社会	集英社新書	2018
トランプのアメリカに住む	岩波新書	2018
現代文化論――新しい人文知とは何か	有斐閣アルマ	2018
平成時代	岩波新書	2019
アフター・カルチュラル・スタディーズ	青土社	2019
大学はもう死んでいる?――トップユニバーシティーからの問題提起（苅谷剛彦との共著）	集英社新書	2020
五輪と戦後――上演としての東京オリンピック	河出書房新社	2020
知的創造の条件――ＡＩ的思考を超えるヒント	筑摩選書	2020
東京裏返し――社会学的街歩きガイド	集英社新書	2020
大学という理念――絶望のその先へ	東京大学出版会	2020

大学は何処へ——未来への設計	岩波新書	2021
東京復興ならず——文化首都構想の挫折と戦後日本	中公新書	2021
空爆論——メディアと戦争	岩波書店（クリティーク社会学）	2022
敗者としての東京——巨大都市の隠れた地層を読む	筑摩選書	2023

取材、構成（序章―第五章）／加藤裕子
図版作成、著作ガイド・主要著作一覧デザイン／MOTHER

吉見俊哉（よしみ しゅんや）

一九五七年東京生まれ。東京大学名誉教授、國學院大学観光まちづくり学部教授。東京大学大学院情報学環長、同大学副学長などを歴任。社会学、都市論、メディア論、文化研究を主な専門としつつ、日本におけるカルチュラル・スタディーズの発展で中心的な役割を果たす。著書に『都市のドラマトゥルギー』『東京裏返し』『敗者としての東京』など。

さらば東大《とうだい》 越境《えっきょう》する知識人《ちしきじん》の半世紀《はんせいき》

二〇二三年一二月二〇日 第一刷発行

集英社新書一一九五B

著者……吉見俊哉《よしみしゅんや》

発行者……樋口尚也

発行所……株式会社集英社

東京都千代田区一ツ橋二-五-一〇 郵便番号一〇一-八〇五〇

電話 〇三-三二三〇-六三九一（編集部）

〇三-三二三〇-六〇八〇（読者係）

〇三-三二三〇-六三九三（販売部）書店専用

装幀……原 研哉

印刷所……TOPPAN株式会社

製本所……加藤製本株式会社

定価はカバーに表示してあります。

ISBN 978-4-08-721295-2 C0236

Printed in Japan

a pilot of wisdom

- 世界の凋落を見つめて クロニクル2011-2020　四方田犬彦
- 「自由」の危機 ――息苦しさの正体　藤原辰史 内田樹 ほか
- 「非モテ」からはじめる男性学　西井開
- 妊娠・出産をめぐるスピリチュアリティ　橋迫瑞穂
- マジョリティ男性にとってまっとうさとは何か　杉田俊介
- 書物と貨幣の五千年史　永田希
- インド残酷物語 世界一たくましい民　池亀彩
- シンプル思考　里崎智也
- 韓国カルチャー 隣人の素顔と現在　伊東順子
- 「それから」の大阪　スズキナオ
- ドンキにはなぜペンギンがいるのか　谷頭和希
- 何が記者を殺すのか 大阪発ドキュメンタリーの現場から　斉加尚代
- フィンランド 幸せのメソッド　堀内都喜子
- 私たちが声を上げるとき アメリカを変えた10の問い　和泉真澄 坂下史子 ほか
- 「黒い雨」訴訟　小山美砂
- 差別は思いやりでは解決しない　神谷悠一
- ファスト教養 10分で答えが欲しい人たち　レジー

- 非科学主義信仰 揺れるアメリカ社会の現場から　及川順
- おどろきのウクライナ　橋爪大三郎 大澤真幸
- 対論 1968　笠井潔 絓秀実
- 武器としての国際人権　藤田早苗
- 小山田圭吾の「いじめ」はいかにつくられたか　片岡大右
- クラシックカー屋一代記　涌井清春 金子浩久 構成
- カオスなSDGs グルっと回せばうんこ色　酒井敏
- 「イクメン」を疑え!　関口洋平
- 差別の教室　藤原章生
- ハマのドン 横浜カジノ阻止をめぐる闘いの記録　松原文枝
- なぜ豊岡は世界に注目されるのか　中貝宗治
- 続・韓国カルチャー 描かれた「歴史」と社会の変化　伊東順子
- トランスジェンダー入門　周司あきら 高井ゆと里
- スポーツの価値　山口香
- 「おひとりさまの老後」が危ない! 介護の転換期に立ち向かう　上野千鶴子 髙口光子
- 男性の性暴力被害　宮﨑浩一 西岡真由美
- 推す力 人生をかけたアイドル論　中森明夫

a pilot of wisdom

集英社新書　好評既刊

アントニオ猪木とは何だったのか
入不二基義／香山リカ／水道橋博士／ターザン山本
松原隆一郎／夢枕 獏／吉田 豪　1180-H

哲学者から芸人まで独自の視点をもつ七人の識者が、あらゆる枠を越境したプロレスラーの謎を追いかける。

絶対に後悔しない会話のルール
吉原珠央　1181-E

人生を楽しむための会話術完全版。思い込み・決めつけ・観察。この三つに気を付けるだけで毎日が変わる。

疎外感の精神病理
和田秀樹　1182-E

コロナ禍を経てさらに広がった「疎外感」という病理。精神科医が心の健康につながる生き方を提案する。

「おひとりさまの老後」が危ない！ 介護の転換期に立ち向かう
上野千鶴子／髙口光子　1183-B

日本の介護に迫る危機にどう向き合うべきなのか。社会学者と介護研究アドバイザーが「よい介護」を説く。

スーザン・ソンタグ 「脆さ」にあらがう思想
波戸岡景太　1184-C

〝反解釈・反写真・反隠喩〟で戦争やジェンダーなどを喝破した批評家の波瀾万丈な生涯と思想に迫る入門書。

男性の性暴力被害
宮﨑浩一／西岡真由美　1185-B

男性の性被害が「なかったこと」にされてきた要因や、被害の実態、心身への影響、支援のあり方を考察する。

死後を生きる生き方
横尾忠則　1186-F

八七歳を迎えた世界的美術家が死とアートの関係と魂の充足をつづる。ふっと心が軽くなる横尾流人生美学。

ギフティッドの子どもたち
角谷詩織　1188-E

天才や発達障害だと誤解されるギフティッド児。正確な知識や教育的配慮のあり方等を専門家が解説する。

推す力 人生をかけたアイドル論
中森明夫　1189-B

「推す」を貫いた評論家が、戦後日本の文化史とともに〝虚構〟の正体を解き明かすアイドル批評決定版！

スポーツウォッシング なぜ〈勇気と感動〉は利用されるのか
西村 章　1190-H

都合の悪い政治や社会の歪みをスポーツを利用して覆い隠す行為の歴史やメカニズム等を紐解く一冊。

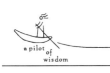